◀ 생후 6개월 무렵, 외할머니 댁에서.

▲ 생후 8개월 무렵, 자택에서 어머니와.
▼ 기노사키 온천에서 아버지와.

◀ 4살 때, 기노사키 온천에서 외할머니와. (아버지, 어머니, 할머니와 함께 한 첫번째 가족 여행)

▶ 5살 때, 절 축제 차림으로 어머니와.

▼ 초등학교 2학년 때, 아버지 어머니와 함께 갔던 시라하마 온천.

▶ 초등학교 4학년 때,
규슈의 벳부 온천 여행에서.

◀ 초등학교 6학년 때의
피아노 연주회.

▶ 〈야쿠자의 아내〉였던 시절.
짙은 화장에 옷차림도 화려했다.

▲ 오히라 미쓰요의 자살 미수를 다룬 1980년 1월 9일자
각 신문 사회면. 〈할복 자살을 꾀하다〉라는 기사로 크게
다루어졌다.

▶ 〈1994년도 사법고시 2차시험 논술문제지〉.
문제지를 시험장 밖으로 들고 나올 수 있었는데,
여백에 메모가 빽빽하다.
악전고투한 흔적이 역력하다.

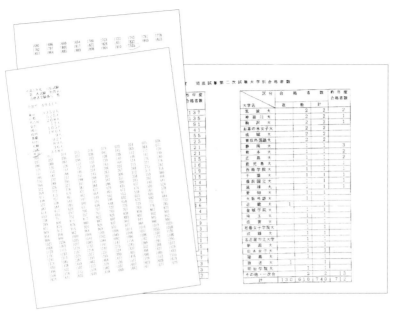

▲ 사법고시 2차시험의 수이타 지구 합격자 348명 중에서 1935번은 마지막 합격번호였다.
통신대학 법학부 출신자로서 사법고시에 합격하는 사람은 극히 드물다.

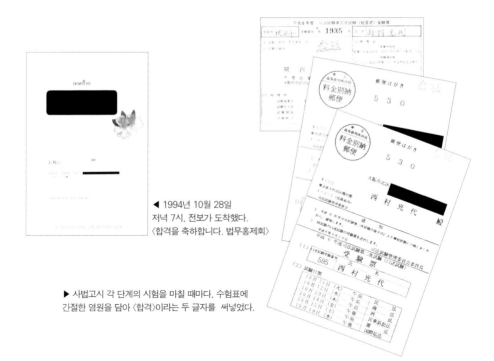

◀ 1994년 10월 28일
저녁 7시, 전보가 도착했다.
〈합격을 축하합니다. 법무흥제회〉

▶ 사법고시 각 단계의 시험을 마칠 때마다, 수험표에
간절한 염원을 담아 〈합격〉이라는 두 글자를 써넣었다.

◀ 1988년 7월 양부 히로사부로 씨와 들렀던 절. 매월 27, 28일의 정기 축일 그리고 정월이면 경내가 온통 참배객으로 북적인다.

◀ '이게 마지막 기회 인지도 모른다. 마지막 기회…… 다시 한 번 살아보는 거야. 진짜 내 인생을.'

▼ 청황신을 모신 이 절에는 아궁이 신, 불 신, 물장사 신 등 공덕도 다양하다.

▲ 강연 때마다 자녀 교육에 대해 울먹이며 질문하는
어머니들이 많다.

▶ 잘못된 길로 빠져드는 청소년이 내 반생의 이야기를
듣고 되돌아와줄 수만 있다면……
그런 간절한 바람 때문에 그녀는 간혹 거친 이야기도
섞어가며 강연한다.

▼ 오사카 부내의 청소년회관에서 했던 강연 모습. 강연 의뢰는
끊임없이 이어지지만 일에 쫓겨 거절할 수밖에 없을 때가 많다.

▲ 후원회 모임. 머리가 자꾸만 벗겨져 걱정이라는
이야기부터 시작된다. 이 점잖은 분들도
이따금 양부의 꾸지람을 즐겨 듣는다.

▶ 변호사가 된 지 4년째. 담당했던
아이들에게서 걸려오는 전화나 편지가
그 무엇보다 기쁘다.

◀ 좁디좁은, 기차칸 같은 오히라 미쓰요의 사무실.

▼ 그녀의 세 가지 필수 장비는 근처를 돌 때 쓰는
〈자전거〉, 묵직한 서류가 들어가는 〈큼지막한 가방〉,
그리고 〈변호사 배지〉.

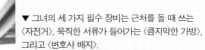

그러니까 당신도 살아

DAKARA, ANATA MO IKINUITE

by MITSUYO OHIRA

Copyright ⓒ 2000 MITSUYO OHIRA
Original Japanese edition published by KODANSHA LTD., Tokyo
Korean translation right arranged with KODANSHA LTD.
through SHINWON AGENCY

Korean translation copyright ⓒ 2000 by BOOKHOUSE Publishing Co., Ltd.

그러니까

당신도

살아

북하우스

차 례

글을 시작하며

소년원. 이곳에는 비행이나 범죄 행위를 저지른 소년들이
감호 조치라는 수속을 밟아 수용되어 있습니다.

나는 변호사로서 이곳에 수용된 소년들을 만나기 위해 자
주 소년원에 찾아갑니다. 세상 사람들은 이곳에 수용된 소
년들을 이렇게 부릅니다.

―비행 청소년.

예전에 내게도 붙어 있던 이름이지요.

처음에는 좀체로 입을 열지 않던 소년도, 면회실에서 몇 차
례 마주 앉아 얼굴을 대하다 보면 조금씩 자기 얘기를 털어
놓기 시작합니다. 부모님, 학교에 대한 불만, 고독감, 학교에

서 당한 왕따…… 그런 이야기를 나누노라면 어느새 내 앞에 있는 소년과 예전의 내 모습이 하나로 겹쳐집니다…….

—왕따.

왕따는, 왕따당한 사람의 인생을 엉망으로 헝클어버리는 것입니다. 고생을 많이 한 사람은 그만큼 다른 이들에게 관대해질 수 있다고 합니다. 괴로움이나 고통을 자기 몸으로 겪어 잘 알기 때문이겠지요. 그래서 젊어 고생은 돈을 주고 사서라도 하라고들 합니다.

그러나 왕따나 유아 학대를 경험한 사람은 결코 그렇지 않습니다. 왕따나 유아 학대는 한 인간의 인간성을 전면적으로 부정하는 것이라 해도 지나친 말이 아닙니다. 그렇게 자신의 인간성을 부정당한 사람은 타인의 인간성도 부정하게 됩니다. 그것이 인간으로서 도저히 용서받을 수 없는 짓이라는 걸 뻔히 알면서도…….

나는 열네 살 때, 효고 현 니시노미야 시의 무코 강 하천 둑에서 할복 자살을 기도했었습니다. 전학 간 학교에서 끊임없이 이어지던 왕따와, 믿었던 친구들에게 배신당한 일 때문이었습니다. 벌써 이십여 년이 지난 일입니다. 내게 왕따를 가한 아이들은 자기들이 어떻게 날 괴롭혔는지 그 내용조차 기억하지 못할 것입니다. 아니, 자신이 왕따를 가했다는 사실조차 잊었을지도 모릅니다.

그러나 나는 잊지 않았습니다. 그때의 서러움, 비참함, 억

10

울함, 고독감, 비수처럼 나를 찌르던 눈초리들, 공포감, 그 아이들의 숨소리…… 당시의 정경이 생생하게 떠오릅니다. 바로 어제 일처럼…….

1

왕따

전학

우리 가족이 외할머니와 함께 살기 위해 집을 옮긴 것은
1978년 7월이었다.

그때까지는 아버지 어머니와 나, 셋이서 살고 있었다. 맞
벌이 부부인 아버지와 어머니가 출근하고 나면 나만 혼자
남게 되었지만, 외할머니가 가까운 곳에 살고 계셔서 그리
외롭다는 생각은 해보지 않았다.

초등학교에 다닐 때는 학교가 끝나면 곧장 외할머니 댁으

로 달려가 아버지 어머니가 돌아오실 때까지 외할머니와 함께 지냈다. 학년이 높아지면서 서예, 주산, 피아노를 배우느라 내가 외할머니 댁에 가는 날이 뜸해지자, 외할머니가 우리 집에 오가셨다. 그러다 보니 나이 드신 외할머니가 날마다 우리 집까지 오가시는 것도 고생스럽겠다 하여, 내가 중학교에 입학하던 해 7월부터 함께 살게 되었던 것이다.

그리 멀지 않은 곳으로 이사했지만, 학군이 달라서 전학을 해야만 했다. 초등학교 육 년을 같이 다니며 흠뻑 정들었던 친구들과 헤어지는 게 적잖이 섭섭했지만, 그보다는 외할머니와 같은 집에 살게 된 기쁨이 더 컸다. 메이지 시대에 태어나신 외할머니는 어머니를 장녀로 네 명의 딸들을 두었다. 막내 이모가 태어난 지 얼마 되지 않아 외할아버지가 돌아가시는 바람에 어린 아이들을 붙안고 밤낮없이 닥치는 대로 일하며 고생을 많이 한 분이었다. 나는 이 외할머니에게 거의 익애(溺愛)에 가까운 사랑을 받으며 자랐다.

"할머니, 이제부터는 쭈욱 함께 살 거지, 낮에도 밤에도 계속."

"그렇지."

"함께 텔레비전도 보자, 응?"

"그래 그래, 보자."

"할머니 방은 어디로 할 거야?"

"할미는 다리가 시원치 않으니까 아래층 방이지."

"아빠 엄마 방도, 내 방도 모두 이층인데, 할머니만 혼자 심심해서 어쩌지?"

"그러게, 심심해 죽겠다. 미쓰요, 그럼 네가 가끔씩 할미 방에 잠자러 내려오면 되지."

"응, 그럴게, 꼭 그렇게 할게."

이사한 날, 나는 외할머니 방에서 함께 잠자리에 들었다. 다른 학교에 전학 갈 일 탓인지, 흥분되어 여간해서 잠이 오지 않았다. 나는 곁에 누운 외할머니에게 쉴새없이 재잘거렸다.

"할머니, 나 내일부터 새 학교야."

"그렇지."

"어떤 학교일까? 새 친구도 생길까?"

"우리 미쓰요야 당장에 좋은 친구들을 사귀지, 그럼. 걱정할 거 하나도 없다."

"친구가 생기면 집에 놀러 오라고 해도 되지?"

"그럼, 얼마든지 놀러 오래라. 할미가 맛있는 것도 만들어 주지."

"정말? 난 할머니가 만들어주는 과자가 세상에서 제일 맛있더라."

외할머니와 함께 살게 된 나는 너무나 좋아서 신바람이 나 있었다. 그리고 그 행복이 언제까지나 이어질 것이라고 생각했다.

"이제 너무 늦었으니까, 어서 자야지."

"응, 이제 잘래."

'어떤 학교일까? 좋은 친구들을 많이 사귀어야지……'

그날 밤, 나는 희망으로 그득한 가슴을 안고 잠이 들었다.

다음날, 새 학교의 문에 들어섰다. 이제 막 단장을 끝낸 듯이 깔끔한 교사 앞에 화단이 있고 색깔도 고운 꽃들이 피어 있었다.

'참 예쁜 학교네!'

그렇게 생각했다. 그러나 그것이 그저 겉모양새뿐이라는 걸 절절히 깨닫게 될 줄은 꿈에도 생각지 못했다.

'다행이야, 이렇게 예쁜 학교에 다니게 되어서. 이제부터 삼 년간 이곳에 다니는 거야. 전학하는 게 걱정이었는데, 정말 난 운도 좋아!'

학교의 첫인상이 너무 좋아 흐뭇했다. 이제 하루라도 빨리 친구만 사귀면 되겠구나 싶었다.

아침에 집에서 나올 때 '담임 선생님이 기다리실 거니까 우선 교무실부터 들러라'고 한 어머니의 말이 생각났다. 나는 실내화로 갈아 신고 곧바로 교무실로 가서 안을 빼꼼히 들여다보았다. 열댓 명 정도의 교사들이, 서류를 정리하거나 두셋씩 모여 차를 마시며 이야기를 나누거나 잰걸음으로 각 책상마다 인쇄물을 나누는 모습이 보였다.

'와, 활기찬 학교구나. 담임 선생님은 어떤 분일까?'

나는 교무실 한쪽에 서서 말했다.

"저, 오늘 전학 왔는데요……."

"아, 전학 온 학생이구나. 얘기는 들었다. 안으로 들어오너라."

한 선생님이 손짓하며 담임 선생님의 책상으로 안내해주었다.

담임 선생님은 책상에 앉아 꽤 어려워 보이는 책을 읽고 있었다.

"안녕하세요."

"여어."

담임 선생님은 그렇게 말한 뒤 잠시 기다리라고 했다. 교사가 된 지 수십 년, 전공 과목은 체육. 짧은 스포츠형 머리에 키가 크고 마른 편, 어딘지 신경질적인 분위기여서 체육을 전공한 타입으로는 보이지 않았다. 오히려 수학 선생님이라면 어울릴 것 같은 분위기였다.

'어째 얘기하기가 어려워 보이는 선생님이네. 이전 학교 체육 선생님과는 인상이 너무 달라. 그렇지만 첫인상으로 사람을 평가해서는 안 되지. 사실은 좋은 선생님인지도 모르잖아.'

기다리는 동안 갖가지 상상이 머릿속에서 춤을 추었다.

벨이 울리고, 나는 담임 선생님의 뒤를 따라 교실에 들어갔다.

"안녕하세요? 오늘부터 이 학교에 다니게 되었습니다. 앞으로 잘 부탁합니다."

교단에 올라 급우들에게 인사를 한 후 선생님이 지정해주는 자리에 가 앉았다.

중학교에 전학생은 퍽 드문 일이라서 모두들 호기심 어린 표정으로 나를 흘깃흘깃 바라보았다.

쉬는 시간이 되자, 아이들이 저마다 말을 붙여왔다.

"어느 학교에서 왔니?"

"우리 학교에 대해 모르는 게 있으면 뭐든지 나한테 물어봐."

"클럽 활동 부서, 정했니? 아직 안 정했으면 나랑 같이 농구부 할래?"

"얜, 괜히 아무 데나 끌어갈려구. 미쓰요, 진짜는 독서부가 더 재미있다."

"그 대목에서 너희들끼리 아웅다웅하면 안 되지. 미쓰요, 사실을 말하자면 뭐니뭐니 해도 탁구부가 최고야."

"어라, 그렇게 갑자기 이 부 저 부 들먹이면 얘가 어쩔 줄을 모르잖니!"

내 옆에 모여들어 이런저런 마음을 써주는 게 너무도 기뻤다.

'모두 좋은 아이들인 것 같아. 아아, 다행이다……'

그러나 그 기쁨은 그리 오래 가지 않았다.

얼마 지나지 않아 음습한 왕따가 내게 찾아왔다.

같은 반의 A에게 미움을 받은 것이 원인이었다. A는 우리 반에서, 아니 우리 학년에서 보스나 다름없는 여학생이었다. 늑대 헤어스타일로 커트한 다갈색 머리, 누구와 시선이 부딪쳐도 웃는 법이 없는 날카로운 눈매, 곁에 있는 것만으로도 위압감을 주는 아이였다. 초등학교 무렵부터 눈에 띄는 존재였는데, 중학교에 들어와 상급생에게 기합을 한 번 받은 후부터 불량한 친구들과 어울리면서 아이들 사이에 여왕처럼 군림하는 아이라고, 전학 간 날 같은 반 여학생이 귀띔해주었다.

'괜히 미운 털 박히지 않도록 조심해야겠구나.'

그 이야기를 들으며 그런 생각은 했지만, 내 쪽에서 공연히 들쑤석거리지만 않으면 괜찮겠지, 설마 내가 미움을 받으랴 하고 A를 그다지 의식하지 않았다.

그런데, 그 설마가 현실이 되었다. A의 미움을 사고 만 것이다.

전학생이라고 모두가 지나칠 정도로 친절히 대해주는 바람에 나도 약간은 콧대가 높아졌었는지도 모른다.

A가 무언가 말을 붙였는데, 내가 대답을 하지 않았다고 했다. 단지 그 이유로, 그 뒤의 내 인생이 크게 달라지게 되

리라고는 나는 상상조차 하지 못했다.

처음에는 A와 그 주변 아이들이 나를 무시하거나, 서로 지나칠 때면 일부러 부딪쳐 오는 정도였다. 그때는 내게도 친구라고 부를 만한 아이가 생겼고, 그래서 그리 신경을 쓰지 않았다. 그러나 우리 반 아이들 모두가 나를 무시하게 되기까지는 단 며칠이 걸리지 않았다.

외톨이

아침에 교실에 들어서는데, 아이들의 태도가 왠지 서먹서먹했다. 이상하다는 생각을 하며 내 자리로 가 책상 위에 가방을 내려놓았다.

매일 아침 함께 수다를 떨던 짝꿍이 마침 교실로 들어오길래 평소 하던 대로 스스럼없이 말을 붙였다.

"안녕? 근데, 너 어제 그 방송 봤니?"

당시 〈긴 짱의 끝까지 해볼래〉라는 텔레비전 드라마가 인기여서, 방영된 다음날에는 그걸 본 감상을 시시콜콜 늘어놓느라 교실 안이 떠들썩하곤 했다.

아무 대답이 없어서 나는 다시 말을 붙였다.

"안녕?"

"………."

"안 들리니?"

"………."

"얘, 왜 그래? 그거 안 봤어?"

"아이 참, 나한테 말 좀 걸지 마."

끈질기게 묻는 내게 그 아이는 정말 싫다는 듯 그렇게 말했다.

나는 영문을 알 수 없어 다시 물었다.

"왜 그러는 거야?"

"말 걸지 말라고 했잖아."

"왜, 왜 그러는데?"

"정말 찔기네."

"내, 내가 뭘 잘못했니?"

"네 가슴에 손을 얹고 물어보셔."

툭 내뱉는 듯한 대답이 돌아왔다. 그리고 자기 책상 위에 가방을 탁 올려놓고는 다른 아이에게로 다가가 신나게 떠들어대기 시작했다.

"안녕?"

"안녕?"

"어제 〈긴 짱 끝까지〉 봤니?"

"학원 가느라고 못 봤어."

"정말 재미있었는데."

"그치? 나도 정말 보고 싶다. 녹화했니?"

"우리 집은 비디오 없잖아. 아키코네는 있으니까 내가 녹화했는지 물어봐줄까?"

"정말? 고맙다, 고마워. 이 은혜는 평생 안 잊을게."

'그냥 물어봐주기만 한다는데 평생 은혜를 안 잊는다구? 나, 그 비디오 녹화했는데. 지금 당장 비디오 가져오면 나랑 놀아줄까?'

나는 혼자 마음속으로 쓸데없는 문답을 하고 있었다.

―네 가슴에 손을 얹고 물어보셔.

내 가슴에 물어보았지만, 아무것도 떠오르지 않았다. 전날까지 그 아이와 사이좋게 지냈었다. 그 아이의 마음에 거슬릴 만한 이야기를 한 적도 없었고, 거슬릴 만한 짓도 하지 않았다. 전날 헤어질 때도 '내일 또 보자, 안녕' 하며 기분 좋게 헤어졌었는데, 도대체 왜 그러는 걸까.

그때 교실에 막 들어서는 다른 아이에게 나는 말을 걸었다.

"안녕?"

"………."

"안녕?"

"………."

그 아이는 고개를 숙인 채 입을 다물고 있었다.

"애, 너 무슨 일 있니?"

"아니, 별로."

내 얼굴을 얼핏 쳐다보자마자 바로 눈길을 돌린 그 아이는 다른 아이들이 있는 곳으로 달려가버렸다.

나와 얘기를 하지 않게 된 것은 그 아이들만이 아니었다.

그날부터, 내가 교실에 들어서면 남학생이건 여학생이건 우리 반 아이들 모두가 거미 새끼 흩어지듯 사방으로 피했다. 아무리 말을 걸어도 대꾸조차 해주지 않았다.

'A 때문일까……'

그것밖에는 짚이는 데가 없었다.

말을 나눌 사람이 없어 나는 당장 외톨이가 되었다. 쉬는 시간이면 아무 말도 하지 않고 멍하니 혼자 앉아 있는 게 힘들어 교정을 산책하며 시간을 때웠다.

가장 괴로운 건 점심시간이었다. 점심은 반드시 교실에서 먹게 되어 있었다. 서로 친한 아이들끼리 모여 재미있는 얘기를 나누며 도시락을 먹는 모습들을 바라보며, 친한 아이들과 함께 보냈었던 점심시간들이 떠올랐다. 내 피터 래빗 도시락 통을 두고 이야기꽃이 피기도 했었던.

"와, 정말 귀엽다. 미쓰요 도시락."

"진짜. 어디서 샀니?"

"우리 엄마랑 한큐 백화점에 갔을 때 샀어."

"좋겠다. 우리 엄마는 한큐 백화점 같은 데는 죽어라 하고 안 가는데. 내가 한 번 가자고 졸라도, 너 혼자 실컷 갔다 오라고 딱 잡아떼는 거 있지.”

“그래? 우리 집은 뭐든 한신이야. 우리 아빠도 엄마도 열렬한 한신 야구 팬이라서 백화점도 그쪽 계열사인 한큐 백화점으로 가야 한대.”

“정말 넌 복도 많다. 근데, 한신 어제 야구 시합에서 지더라.”

“그래도 상관없어. 이기든 지든 무조건 한신, 한신 하는 게 한신 팬이지.”

“그 팬이라는 거, 나도 그 맘 아주 잘 안다. 알아.”

재미있었다…… 정말 즐거웠었다.

내 바로 뒷자리에서, 어제까지만 해도 나와 함께 점심을 나눠 먹던 두 아이가 신나게 얘기해가며 도시락을 먹고 있었다.

“오늘은 빵이니?”

“응, 울 엄마가 감기 걸려서 머리 싸고 드러누우셨거든. 도시락을 안 싸주셨어.”

“야, 난 항상 안 해줘. 별수 없이 내 손으로 싸온다, 난.”

“와, 심하다 심해. 그래도 맛있어 보이는데? 위너 소시지 한 개만 주라.”

“네 도너츠 주면 나도 줄게.”

“아이구, 셈도 빠르셔. 이건 내 비자금 삼십엔을 톡톡 털어 산 도너츠야. 하하하."

"으이구, 얌체."

'재밌겠다. 어제는 나도 함께 먹었는데…… 함께 먹자고 나 좀 불러주지…… 않을래나? 애들아, 나 좀 불러주렴. 만약 내가 지금 도시락 들고 저기로 가면 저애들이 뭐라고 할까. 안 돼, 또 아무 말도 하지 않고 무시할 텐데. 둘이 아예 다른 자리로 옮겨가버릴 거야. 괜히 나만 더 비참해져. 관두자…….'

나는 내 자리에서 한 걸음도 움직이지 못하고 숨을 죽여가며 점심을 먹었다. 어떤 맛있는 반찬도 맛이 나지 않았다…… 외톨이로 먹는 도시락. 즐거웠던 점심시간이 이젠 지옥의 시간으로 변하고 말았다.

낙서

무시하는 것만으로는 성이 차지 않았던지, 왕따의 내용이 좀더 구체적으로 변해갔다.

내 책상 위에 연필로 끄적거린 낙서가 있었다.

〈나는 바보입니다. 모두 나를 싫어해요. 제발 나를 좀 꼬

셔주세요. 싸게 해드릴게요. ○학년 ○반 미쓰요.〉

등교하자마자 그걸 읽고 머리가 핑 도는데, 내 모습을 지켜보던 아이들이 킥킥킥 웃어댔다. 나는 당장 지우개로 그 낙서를 박박 문질렀다.

'다행이다. 지웠어, 지워졌어.'

낙서를 지우고 겨우 안심하며 주위를 돌아보니, 아이들은 아직도 킬킬거리며 웃고 있었다.

'또 다른 곳에도 낙서를 해놓은 게 아닐까?'

교실 뒤편의 사물함이며 다른 아이들 책상 위까지 전부 둘러보았지만, 낙서는 더 이상 눈에 띄지 않았다. 수업이 곧 시작될 시간이어서, 무언가 석연치 않은 채로 내 자리에 돌아와 앉을 수밖에 없었다. 수업이 시작된 후에도 아이들은 내 쪽을 흘끔거리며 재미있다는 듯 킥킥거리고 있었다.

그 웃음의 의미를 알게 된 것은 셋째 시간에 미술 수업을 받으러 갔을 때였다. 미술실 뒤쪽 책상에 똑같은 내용의 낙서가 있었다.

'아아, 다른 반 애들이 봤으면 어쩌지?'

수업이 끝나자마자 미술실의 낙서도 지웠다.

그러나, 다음날 다시 같은 낙서가 여기저기 나타났다. 그래도 연필로 낙서를 하던 때는 지우개로 지우고 다닐 수가 있었다.

그 다음에는 지우개로 지울 수 없게 조각도 같은 것으로 새겨놓았다. 그것도 전교생이 함께 쓰는 미술실이나 가사실 책상을 골라가며.

그 낙서를 읽은 다른 학년 학생들까지 일부러 우리 교실을 찾아와 힐끔거렸다.

"싸게 해준다고, 자기 좀 꼬셔달라고 하는 애가 어떤 애냐?"

"쟤야."

아이들이 내 쪽을 가리키며 손가락질했다.

'내 얘기를 하는 거야. 꼬셔달라구? 싸게 해준다구? 그건 창녀라는 뜻이야. 그런 얘기들을 어떻게 저렇게 함부로 할 수가 있지?'

나는 너무도 창피해서 내 자리에 박힌 채 꼼짝달싹을 못하고 고개만 푹 숙이고 있었다.

"그런 낙서에 제 이름까지 밝히다니, 쟤, 진짜 바보 아냐?"

"그치만 싸게 해준대잖아, 이쁘게 봐줘."

"그렇게 이쁘게 보이면 네가 누구 좀 소개해주지 그러니?"

"그래, 생각 좀 해볼까? 하하하."

"근데, 어째 시건방져 보인다."

"누가 아니래?"

"조져도 안 먹히겠는데?"

"'고문' 할 거니? 그때는 나도 한몫 끼워줘. 진짜 재밌겠다."

거의 협박조의 말들이 오갔다.

'내가 쓴 게 아냐. 그 낙서는 내가 한 게 아니란 말야……'

그렇게 말하고 싶었지만 무서워서 말이 입 밖으로 나오지 않았다.

나는 창피한 마음과 두려운 마음이 뒤섞인 채 그저 어떻게든 그 낙서만 지우려고 애를 썼다. 수업이 끝나고 아이들이 썰물처럼 빠져나간 텅 빈 교실에 혼자 남아 낙서가 새겨진 책상 앞에 앉아 지울 방법을 궁리했다.

'조각도로 정말 깊이도 새겨놨네. 이건 똑같은 조각도나 끌 같은 게 아니면 도저히 못 지워. 그치만 오늘은 그것도 안 가져왔는데…… 어쩌면 좋아……'

좋은 방법이 떠오르지 않았다. 우선 내 이름만이라도 지워야겠다는 생각이 들어 엄지손톱으로 이름을 긁어보았다. 그나마 조금 지워지는 것 같아 제발 빨리 지워져라 빌면서 박박박 긁어댔다. 닳아빠진 책상 나무 껍질이 일어나면서 부스러기가 손톱 밑을 찔렀다.

그러나 아무리 긁어도 지워지지 않았다. 그렇게 고개를 처박고 책상에 새겨진 내 이름을 노려보며 마냥 긁어내느라 교실 문 앞에 A와 그 친구들이 모여들어 내가 하는 꼴을 지켜보는 것도 전혀 알아차리지 못했다.

"쟤 좀 봐. 책상에 흠집을 내고 있네."

A가 한 옥타브 높은 날카로운 목소리로 나를 나무랐다.

그 말에 박자를 맞추듯 다른 아이들도 저마다 한마디씩 지껄였다.

"뭔 짓이래?"

"학교 물건에 흠집을 내면 안 되지."

"선생님한테 일러버릴까 보다."

"너, 그 말 잘했다. 쟤, 선생님한테 쪼르르 달려가서 콩이네 팥이네 낱낱이 고자질하는 애 아냐?"

"고자질했다가는 어떻게 되는지 일찌감치 일러주는 게 좋을 것 같다, 얘."

"그렇지."

"머리를 박박 밀어줄까?"

"스트립 쇼를 하게 해줄까?"

"아냐, 옥상 손잡이에 대롱대롱 매달아주자."

"에그, 무서워라. 난 착한 아이라서 그런 거 못 해요, 호호호."

"A, 너 인간 다 됐구나."

왁자하니 떠들어대던 아이들이 낭랑한 웃음소리를 남기며 돌아갔다.

'선생님한테는 절대로 말하면 안 돼……'

그때 나는 그렇게 생각했다.

쓰레기

그날은 도시락을 가져오지 않아서 넷째 시간 수업이 끝나고 나서 빵을 사러 나갔다. 점심시간에 학교 정원 옆에서 기다리고 있으면 근처 빵집 아저씨가 조그만 트럭에 빵을 가득 싣고 팔러 나왔다. 나는 다른 아이들과 얼굴 부딪치는 게 싫어서 한바탕 혼잡이 지나가기를 기다려 나중에야 빵을 사러 나갔다.

"아저씨, 메론 빵 하나 주세요. 커피 우유도요."

"저런, 메론 빵은 벌써 다 팔렸구나. 그건 잘나가니까 좀 더 빨리 나와야지."

"……그럼, 잼 빵으로 주세요."

"옜다. 고맙다. 다음에는 일찍 나오너라."

"네……."

'일찍 나오라구요? 그치만 난 일찍 나올 수 없는걸요…….'

교실에 돌아오니 책상 위에 있던 필통이 사라지고 없었다. 그 필통 속에는 외할머니가 주신 작은 노리개 같은 부적이 들어 있었다. 어려서부터 몸이 약한 나를 위해 일부러 절에 가 받아오신 것이었다.

'어, 없어졌네. 어디로 갔지?'

정신없이 필통을 찾았다. 가방 속이며 책상 속을 몇 번이고 뒤적여보았다. 어디에도 없었다. 그때 뒤쪽에서 시선이 느껴졌다. 돌아보니 여자애들 네댓 명이 몰려서서 나를 쳐다보고 있었다. 그 중 씨익 웃는 한 아이가 눈에 들어왔다. 그애는 A의 친구라기보다 항상 A의 눈치를 살펴가며 알랑거리는 추종자 중의 하나였다.

'쟤는 A의……'

뭔가 예감이 좋지 않았다.

'혹시……'

나는 허둥지둥 교실 뒤편 구석으로 달려가, 설마설마 하는 마음으로 쓰레기통 속을 살펴보았다.

"앗!"

나는 손으로 내 입을 막았다.

두 동강 난 연필통과 그 안에 들어 있던 샤프펜슬, 지우개, 빨간 펜 그리고 부적이 쓰레기에 뒤섞여 내동댕이쳐져 있었다.

'부적을 쓰레기통에 처넣다니…… 왜, 왜들 나한테 이러는 거야?'

나는 그 자리에 주저앉았다. 버려진 내 물건들을 하나하나 집어내 무릎 위에 올려놓았다. 부적은 손으로 쓰다듬어 쓰레기를 털어냈다. 그리고 꼬옥 움켜쥐었다.

'절에서 받아온 물건을 어떻게 이럴 수가…… 할머니께는 뭐라고 해야 좋을까.'

할머니에게 큰 죄를 지은 것만 같은 마음이었다.

아직도 아이들은 나를 쳐다보고 있었다.

'저애들 짓이야…… 분명히 저애들이 한 짓이야.'

그렇게 확신했다. 그러나 증거가 없어…….

나는 자리로 돌아와 필기구를 책상 속에 넣고, 부적은 따로 가방 속에 소중하게 간수해 넣었다. 그리고 의자에 앉아 사들고 온 잼 빵을 한 입 베어 물었지만 목이 꽉 막혀 넘어가지 않았다.

'식욕이 나지 않아. 숨쉬기도 힘들어…….'

그 자리에 있는 게 견딜 수 없었다. 신선한 공기를 마시려고 먹던 빵을 그대로 둔 채 교실을 나왔다. 발 가는 대로 아무렇게나 걸었다. 꽃밭에는 꽃들이 참 곱게도 피어 있었다.

'저건 수국, 저건…… 이름이 뭐더라? 그래, 팬지였지. 예쁘게도 피었구나…….'

꽃을 바라다보고 있노라니 마음이 조금 가라앉았다.

교실에 돌아오자마자 나는 깜짝 놀라 입이 저절로 벌어졌다. 내 책상 위가 온통 쓰레기투성이였다.

멍청하게 우두커니 서 있는 내 모습을 보고 아까 그애들이 들으라는 듯이 말했다.

"아까 쓰레기통에서 뭘 주워들이고 있었잖니? 아이구, 참 얼마나 없이 살면 쓰레기통을 다 뒤지겠니? 보고 있기가 너무 딱해서 우리가 대신 좀 모아줬어."

"우리한테 조금은 감사하는 마음을 가져라. 그래야 인간이지."

"앞으로도 맨날 모아줄게."

"근데, 쟤, 쓰레기통 뒤지는 게 너무 잘 어울리더라."

"진짜. 원래 거지였나 봐."

모두들 한마디씩 떠들어대고 있었다.

'이제 곧 수업이 시작돼. 선생님이 오시기 전에 치우지 않으면……'

선생님께서 보셨다가는 분명 이유를 물을 것이다. 아무 일도 아니라고 잡아뗄 자신이 없었다. 어쩌면 엉엉 울게 될지도 몰랐다. 그러다 사실을 말하면 '고자질꾼'이라고 더 지독한 꼴을 당할 것이었다.

—머리를 박박 밀어버리고, 스트립 쇼를 시키고, 옥상 손잡이에 매달아줄까.

A와 그 친구들이 했던 말이 머릿속에서 앵앵거렸다.

나는 책상 위에 어질러진 쓰레기를 곁에 있던 쓰레기통에 담았다. 아까 놓아두고 간 커피 우유가 엎질러져 다른 쓰레기와 뒤범벅이 되어 있었다. 교실 뒤쪽의 청소함에 걸레를 가지러 가려고 두세 발 떼어놓다가 곁에 있는 아이의 발부리에 채였다. 나는 그 자리에서 나동그라졌다.

"아얏!"

넘어지면서 까진 양 무릎에서 금세 피가 배어나왔다.

그걸 보고 그 아이는 웃으며 말했다.

"어머, 미안해서 어쩌나. 내가 너무 롱다리라서 말야. 괜찮니?"

나는 스커트를 털며 내 자리로 돌아왔다. 다시 걸레를 가지러 갈 엄두를 내지 못하고, 가방에서 손수건을 꺼내 책상위 얼룩을 닦아냈다. 아무 말도 하지 못하는 내 자신이 한심스러웠다.

물에 빠진 생쥐

그날은 배가 아팠다. 나는 감기에 걸리면 곧잘 복통으로이어지곤 했다. 쉬는 시간에 화장실에 가 문고리를 잠그는데, 화장실 문 쪽에서 여자애들 몇 명이 속닥거리는 소리가들려왔다. 걱정이 되었지만 어쩔 수가 없어 그대로 웅크리고 앉아 있었다. 그때 갑자기 쏴아 하는 소리와 함께 머리위에서 물이 쏟아져 내려왔다.

"엄마야!"

한 양동이 정도 되는 물을 머리에서부터 뒤집어쓴 나는 온몸이 흠빡 젖고 말았다.

이내 문 밖에서 "맞았다, 맞았어" 하는 소리와 함께 몇 명인가가 후닥닥 달아나는 발걸음 소리가 들렸다.

나는 몸을 일으키고 벌벌 떨며 화장실 문을 열었다. 문 밖에는 이미 아무도 없었다.

'어째서 내가 이런 꼴을 당해야 하는 걸까. 이렇게 홀딱 젖은 채로 교실에 돌아갈 수는 없어. 어떻게 해…….'

화장실 세면대 앞에 가서 거울을 보았다. 비참한 내 모습이 여지없이 비쳤다.

'날이면 날마다 어째서 이렇게 괴롭힘을 당해야 하는 걸까, 내가 뭘 잘못했길래…….'

그 자리에 쭈그리고 앉아 울었다. 그때, 화장실에 들어서던 한 아이가 소리쳤다.

"아이구, 더러워라!"

큰 구경거리라도 난 듯 그 아이는 다른 애들을 부르러 갔다. 눈 깜짝할 사이에 아이들이 나를 둘러쌌다.

"으익, 영락없이 물에 빠진 생쥐네."

"쟤한테는 저런 꼴이 딱 어울린다, 뭘."

"진짜, 딱이야, 딱."

"물방울 뚝뚝 듣는 시커먼 생쥐, 크기도 하도다."

"그거, 완전히 한 편의 시다, 시야."

"그렇지, 변소! 얘들아, 앞으로 쟤를 변소라고 하면 어떨까?"

한 아이가 엄지와 검지를 맞붙여 동그라미를 만들면서 개그맨 흉내를 내며 말했다.

"그거 좋지!"

수업 시작을 알리는 차임벨이 울리자, 아이들은 한꺼번에 와와거리며 교실로 돌아갔다. 나는 교실에 들어갈 수가 없어 우선 양호실로 갔다.

"웬일이니? 이렇게 흠씬 젖어서⋯⋯."

양호 선생님이 젖은 내 몸을 수건으로 닦아주었다.

"너무 졸려서 찬물로 얼굴을 씻고 있는데, 친구가 말을 걸어와서요. 뒤를 돌아보다가 그만 수도꼭지를 잘못 눌러 물이 튀어서⋯⋯."

뻔한 거짓말을 했다. 말을 맺지 못하고 입을 다물어버리는 나를 보고 선생님은 그 이상 캐묻지 않았다. 그리고 우리반 교실에 가서 가방을 가져다주었다.

"힘들면 언제든지 와도 좋아."

온통 물에 젖은 채 풀이 죽어 있는 내게 양호 선생님은 그렇게 다정하게 말해주었다.

'이 선생님께 아이들이 나를 괴롭힌다는 얘기를 해버릴

까……'

한순간 그런 생각이 밀려들었다. 그러나 만약 담임 선생님께 이 일을 보고한다면…….

—머리를 박박 밀어버리고, 스트립 쇼를 시키고, 옥상 손잡이에 매달아줄까.

A와 그 친구들이 했던 말들이 다시 머릿속에서 앵앵거렸다.

'안 돼, 말하면 안 돼!'

한 시간 정도 양호실 침대에 누워 있던 나는 아무 말도 하지 못하고 집으로 돌아왔다.

등교 거부

그 다음날, 나는 마침내 학교 가기를 포기했다.

아침 일곱시가 지나자, 여느 날 아침처럼 어머니가 나를 깨우러 왔다. 나는 진작부터 눈을 뜨고 있었지만, 그대로 침대 속에 웅그린 채 일어나지 않았다.

"미쓰요, 어서 일어나. 학교 늦겠다."

"………."

"학교 늦어."

"………."

"늦는다니까……."

"엄마, 나 오늘 쉴래."

"뭐?"

"학교 안 갈래."

"왜 그러니?"

"몸이 아파."

"어디가 아픈데?"

"전부 다."

"전부 다라니 그게 무슨 소리야?"

"감기야. 열도 나고."

어머니는 구급 상자에서 체온계를 꺼내 내 겨드랑이에 끼웠다.

"35.6도밖에 안 되는데?"

"………."

"괜히 꾀병 부리지 말고."

"………."

"학교 가야지."

"아프다면 아픈 줄 알아!"

나는 머리까지 이불을 푹 뒤집어써버렸다.

"아이 참, 못 말리겠네. 그럼, 내일은 꼭 가는 거다."

어머니는 더 이상 추궁하지 않았다.

외할머니가 걱정하시면서 죽을 끓여와 먹여주었다.

'할머니…… 고마워요…….'

외할머니는 언제나 다정했다.

다음날도 학교에 가지 않았다.

그때까지 이렇게 학교에 결석한 일은 한 번도 없었기 때문에 어머니도 이상했던지 걱정스레 물었다.

"학교에서 무슨 일이 있었니?"

"별로……."

나는 아무 일도 없다는 듯이 시치미를 뗐다.

'엄마에게 말하면 아빠도 아실 테고, 그러면 학교에도 알려져. 학교에 알려지면 난 '고자질꾼'이 돼. 그애들한테 죽어…….'

그런 생각에 빠진 나는 왕따당한다는 말을 절대로 할 수가 없었다.

"그렇다면 다행이다만."

"………."

"근데 오늘, 학교는 어떡할래?"

"오늘도 아파서 쉴래."

"어디가 아프다는 거야?"

"………."

"그런 식으로 학교를 빠지면 공부가 뒤떨어지지."

"나중에 잘할게."

어머니는 더 이상 말해봤자 소용이 없겠다고 생각했던지 그대로 회사에 나가셨다.

다음날도 그 다음날도 쉬었다. 그렇게 일 주일을 학교에 가지 않다 보니 더 이상 둘러댈 거짓말이 없었다.

"학교에서 무슨 일이 있었던 거지?"

"………."

"말을 안 하면 어떻게 하니?"

"………."

"엄마가 학교 친구들한테 물어보러 갈 거다."

'아아, 이제 더 이상 감출 수가 없어.'

어머니의 추궁에 언제까지나 막무가내로 입을 다물 수는 없었다. 나는 왕따당했던 일을 모두 이야기했다.

어머니는 처음에는 아무 말이 없었다.

"어째서 좀더 빨리 말을 안 했니?"

어머니가 한숨을 내쉬며 꾸짖었다.

'말을 할 수 있었으면 내가 벌써 얘기했지……'

나는 마음속으로 그렇게 중얼거렸다.

그날 밤, 늦은 시간에 집에 돌아온 아버지는 어머니에게서 이야기를 듣자마자 크게 화를 냈다.

"선생은 도대체 뭘 하고 있는 거야!"

그리고는 당장 담임 선생님 댁에 전화를 했고, 다음날 아침에는 학교에 전화를 걸어 교장 선생님에게도 항의했다.

"이제 걱정하지 않아도 된다. 학교 쪽에서 전화를 해줄 때까지, 너는 집에서 기다리고 있어."

불안한 얼굴로 상황을 지켜보던 내게 아버지는 그렇게 자신 있게 말씀하셨다.

고자질

2,3일 후, 담임 선생님에게서 전화가 걸려왔다.

"이제 다 해결되었으니까, 내일부터 학교에 나오도록 해라."

집에 돌아온 아버지에게 그 말을 전했다.

"선생님이 내일부터 학교에 나오라고 하시는데, 다 해결됐다는 게 정말일까?"

"선생님이 괜찮다고 하시면 괜찮은 거야."

"………."

"왜 그러냐?"

"그치만, 선생님이 정말 이번 일을 잘 알아주셨을까?"

"왜 그런 생각을 하니?"

"말을 해도 어쩐지 통하지 않을 것 같은 선생님이라서……."

담임 선생님은 어딘지 차가운 느낌이 드는 분이었다. 일단 담임으로서 학생의 이야기를 들어는 주지만, 그 이상의 일은 하지 않았다. 어딘지 모르게 매사가 사무적이었다. 내가 처음 보았을 때 느꼈던 그대로의 인물이었다. 아버지는 그런 상황을 전혀 알지 못하기 때문에 그저 일반론을 늘어놓을 뿐이었다.

"그럴 리가 있겠냐?"

"왜 없어?"

"명색이 선생인데, 학생에 대해 관심이 있는 게 당연하지."

"그럴까……."

"교장 선생에게도 똑똑히 말해뒀으니까 걱정 안 해도 돼."

"교장 선생님……."

교장 선생님이 어떤 사람인지는 잘 알 수 없었다. 나는 정말로 해결이 되었는지 반신반의였지만, 학교에는 나가기로 마음을 먹었다.

다음날 학교에 간 나는 담임 선생님이 전화로 일러준 대로 우선 교무실에 들렀다. 교무실 문은 열려 있었다. 안을 들여다보니 담임 선생님이 자기 자리에 앉아 있었고, 그 곁에 A가 서 있었다.

'앗, A가 와 있네……'

그 아이에게 왕따당했던 일들이 생생하게 떠올라, 나는 그 길로 다시 집에 돌아가고 싶어졌다.

그러나 '도망치면 안 된다'는 생각이 떠올라 마음을 다잡고 인사를 하면서 안으로 들어갔다.

"선생님, 안녕하세요?"

담임 선생님에게 가까이 다가가던 나는, 얼음처럼 차가운 눈초리로 나를 바라보는 A의 시선에 한순간 딱 굳어버리고 말았다. 한 걸음도 뗄 수 없었다.

'정말 해결이 된 걸까?'

머릿속이 불안으로 가득 찼다. 그때 A가 웃음기라곤 하나도 없는 냉랭한 얼굴로 오른손을 내 쪽으로 내밀었다.

어리둥절해하고 있는 내게 담임 선생님이 말했다.

"화해의 악수를 해."

강압적인 말투였다.

'화해의 악수라니, 이게 무슨 말이야? 화해할 일이 아니잖아. 나는 A와 싸움을 한 게 아니야. 일방적으로 당한 건데……'

아무래도 이해할 수 없었다. 그렇지만 이렇게 해서나마 왕따를 당하지 않게 된다면 다행이라는 생각이 들었다. 나는 A가 내민 손을 잡았다.

그러나 A는 내밀기만 했을 뿐 내 손을 마주 잡지 않았다. 내가 쥐었을 뿐이었다.

'A는 화해할 마음이 없어. 선생님이 하라니까 할 수 없이 그냥 시늉만 하는 거야.'

지금도 나는 기억한다…… 그때 A의 손에서 느껴지던 미지근한 감촉을.

담임 선생님은 두 사람의 그런 분위기를 알아차리지 못했는지, 책상 위에 놓인 차를 기분 좋게 마시며 말했다.

"자, 이걸로 서로 화해한 거야. 잘됐다, 잘됐어."

짐작했던 대로, 그걸로 더 이상 왕따를 당하지 않게 되리라는 생각은 달콤한 꿈이었다.

교실에 돌아오자마자, A는 친구들이 있는 데로 가더니 험악한 눈초리로 나를 노려보며 말했다.

"저게 선생한테 일러바쳤어."

어디 두고보자는 투였다. 다른 아이들도 일제히 나를 쏘아보았다.

그 일이 있은 뒤부터 물을 뒤집어씌우는 식의 눈에 보이는 왕따는 없어졌다. 하지만 그후로도 A와 그 친구들은 변함없이 내 험담을 퍼뜨리고 다녔다. '고자질꾼'이라는 딱지를 덧붙여서.

나는 어머니에게 이 일을 털어놓은 것을 후회했다.

친구

1979년 4월, 중학교 2학년이 되었다. 학급이 바뀌어 A와 그 친구들은 다른 반이 되었고, 담임 선생님도 바뀌었다. 처음으로 담임을 맡게 되었다는 선생님은 담당 과목이 미술이었다. 얼굴 가득 여드름 자국투성이인 아직 젊은 선생님인데도 입을 꾹 다문 엄격한 표정을 짓곤 하였다.

"처음으로 학급 담임을 맡게 되었다. 무슨 일이든 나에게 와서 상의해라."

선생님의 첫 인사였다.

'괜히 잘난 척 무게만 잡는 것 같아. 젊음이라는 게 전혀 느껴지지 않아. 이 선생님과 일 년을 함께 지내야 하다니……'

그런 생각이 들었지만, 이제 A와 매일 얼굴을 부딪치지 않게 된 것만도 고마웠다. 나는 새로운 기분으로 학교 생활을 보내기로 마음먹었다.

그리고 얼마 후에는 우리 반에서 다정하게 지낼 수 있는 친구가 세 명이나 생겼다. 원래 친구 사이였던 세 아이 중의 하나가 먼저 내게 이야기를 걸어준 것이 계기가 되어, 나도 그

44

그룹에 합류하게 된 것이었다. 우리 넷은 항상 함께 붙어다녔다.

"나, 곤도 마사히코가 좋더라."

"난 다하라 토시히코가 훨씬 더 좋은데."

"너희들 아직 한참 더 커야겠다. 난 누가 뭐래도 노구치 고로야."

"으이그, 아줌마 같애."

"홍, 그게 뭐 어때서?"

늘 나누는 이야기라고는 인기 가수나 텔레비전 드라마 얘기가 대부분이었지만, 나는 정말 즐거웠다. 학교가 끝난 후에도 함께 노는 일이 많았다. 쇼핑 센터에 함께 물건을 사러 다니고, 넷이 함께 똑같은 가방을 사기도 하였다.

'드디어 친구가 생겼어⋯⋯.'

정말 기뻤다.

점심시간에도 넷이서 함께 먹었다.

"오늘도 도시락?"

"응, 우리 집은 아버지가 싸주셔."

"좋겠다, 난 내가 직접 싸오는데."

"정말? 너, 솜씨 끝내준다. 다음에 만드는 법 좀 알려줄래?"

"좋아. 도시락 반찬 만드는 법 적어둔 거 있어, 내일 가져 다줄게."

"진짜?"

"애, 그럴 게 아니라 오늘 학교 끝나고 내일 도시락 반찬 사러 갈 건데 너도 함께 갈래?"

"물론이지."

그때까지 혼자 점심을 먹어야 했던 나는 빙 둘러앉아 신나는 이야기와 함께 도시락을 먹는 시간이 무엇보다 기뻤다.

그 즈음 나는 학교에 약을 가져가 먹었다. 식후에 꼭 약을 먹는 나를 보고 그 친구들은 궁금했던지 내게 물었다.

"그거, 무슨 약이니?"

"응……."

"어디 아프니?"

"등허리가 좀 아파서……."

편식이 심하던 나는 몸이 약해서 병원에 다니고 있었다.

"무슨 병인데?"

"아이, 창피해서 말하기 싫은데……."

"괜찮아, 말해봐."

"아이 참……."

"괜찮다니까, 우린 친구잖아."

"응…… 신경통이래. 노인네 같지?"

"무슨 그런 소릴 하니? 너, 참 힘들겠다."

"좀 그래…… 근데 너희들 이 얘기, 다른 애들에게는 말하면 안 돼. 노인네 같다고 다들 놀릴 거야."

"알았어. 그런 걱정은 하지 말고 어서 나아야 해, 알았지?"

이 세 아이를 나는 진정한 친구라고 생각했다. 무슨 이야기든 그 아이들에게는 다 했다. 좋아하는 남자애 이야기도 했다.

아직도 몇몇 학생들에게는 무시당하곤 했지만, 단짝이라고 할 친구가 있다는 생각에 전혀 마음에 걸리지 않았다.

2학기에 들어섰을 때, 우리 학교 학생들 집집마다 젊은 여자 목소리의 장난 전화가 걸려오는 사건이 일어났다. 우리 집에도 그 장난 전화가 걸려왔다. 그날, 마침 일을 쉬고 집에 있던 아버지가 전화를 받았다.

"여보세요……."

"네."

"댁의 아이가 소매치기를 하고 다니는데, 아세요?"

"당신, 뉘시오?"

"매춘도 한대요."

그리고는 툭 끊어버렸다.

몇 번이나 같은 전화가 걸려오자 아버지가 학교에도 연락하고 경찰에 신고했다. 경찰에서 나와 전화 내용을 녹음할 수 있는 장치를 달았지만, 범인은 찾아내지 못했다. 거의 전교 학생들이 그런 식의 장난 전화에 시달렸다.

겨울방학 때였다. 우리 네 사람이 함께 모여 노는데, 그

장난 전화가 화제에 올랐다.

"우리가 범인을 잡으면 그야말로 짱이 되는 건데."

"진짜 그랬으면 좋겠다."

"공중전화에서 전화하는 현장을 잡아낸다든가……."

"우리가 다 싫어하는 그애 뒤를 미행한다든가……."

"대충 범인이 누군지는 알겠다만."

"그래, 대충 짐작이야 가지."

세 사람의 대화를 듣던 내가 물었다.

"뭐? 범인을 알고 있어?"

그러자 세 사람은 서로 얼굴을 마주 보더니 이렇게만 말했다.

"개학하면 너도 알게 될 거야."

'근데 왜 지금 알려주지 않는 거지?'

뭔가 이상하다는 생각은 들었지만, 그 세 아이를 진정한 친구로 생각하고 진심으로 믿고 있던 나는 그리 신경 쓰지 않고 그대로 이야기에 섞여들어갔다. 나는 탐정이라도 된 듯 잔뜩 들떠서 이렇게 말했다.

"우리끼리라도 전화를 역탐지할 수 있을 것 같은데, 그거 한번 연구해볼까?"

그애들이, 내가 친구로 믿었던 세 아이가, 바로 나를 지목하고 얘기했다는 것은 꿈에도 생각지 못한 채…….

2 자살 미수

배신

1980년 1월 8일, 그날은 개학날이라 오전 일찌감치 학교가 끝났다.

집에 돌아가려고 신발장에서 신발을 꺼내고 있는데, 우리 반 여학생들이 나를 불러세웠다.

"미쓰요, 너한테 할 얘기가 있어."

나는 영문을 모르는 채 그 여학생들 뒤를 따라 교실로 들어갔다. 교실에는 아이들 몇 명이 모여 있었는데, 그 중에는 내 단짝 셋도 있었다.

"뭔데, 무슨 일이니?"

내가 묻자, 한 아이가 시비를 걸듯이 물어왔다.

"너지? 장난 전화의 범인!"

갑작스런 말에 깜짝 놀라기는 했지만, 무슨 엉뚱한 소린가 싶어 단호하게 부인했다.

"난 아냐. 장난 전화 같은 거 한 적 없어."

"전화를 받은 애가 네 목소리랑 똑같다고 하던데?"

"그 전화는 우리 집에도 걸려왔어."

"알게 뭐냐, 그런 걸."

"난 절대로 아냐."

"시치미 떼지 마. 네가 공중전화에서 전화하는 걸 본 애가 있어."

"언제쯤 얘기니, 도대체? 공중전화를 쓴 일은 있지만, 그건 다른 일 때문이야."

"공중전화를 쓰기는 쓴 모양이지?"

"다른 볼일이 있어서 공중전화를 쓴 것뿐이야. 장난 전화를 한 게 아냐."

"그런 거 어찌 됐건 상관없어. 이미 너로 결정됐어. 우리가 그렇게 정했어."

"아냐. 난 장난 전화 같은 거 한 적 없어."

그러나 아무리 말해도 그애들은 애초부터 내 말에 귀 기울여줄 생각이 없었다. 장난 전화 얘기를 그렇게 일방적으로 매듭지어버리고는, 아이들은 또 다른 이야기를 꺼냈다.

"넌 눈치가 젬병이라 도통 모르는 모양인데 우리가 널 어떻게 생각하는지 사실을 말해줄까?"

"우린 네가 전학 왔을 때부터 어쩐지 마음에 안 들었어. 그치, 얘들아?"

"진짜 그래."

"너만 보면 성질이 나."

"건방져, 넌."

"정말, 건방져."

"너, 신경통인지 뭔지 그런 병 걸렸다며?"

"에구 할망구, 빨리 뒈지기나 하지."

"○○○를 좋아한다며? 근데 ○○○는 너 같은 환자는 싫댄다, 하하하."

'어떻게 얘들이 내 병에 대해 알고 있을까. 내가 좋아하는 그애 이름까지. 아무한테도 얘기하지 않았는데…… 아무한테도…… 참, 그렇구나, 저 세 아이에게는 말했었지…….'

나는 세 아이의 얼굴을 차례대로 바라보았다. 세 아이 모두 고소하다는 웃음을 짓고 있었다. 승리자의 얼굴이었다. 태어나서 처음으로, 사람의 웃는 얼굴이 그렇게도 가증스러울 수 있다는 것을 알았다.

'얘들이, 전부 다 얘기했구나…….'

모든 것을 깨달았다.

내가 말없이 세 아이를 노려보고 있으니, 다른 아이들이 더 지독한 욕을 퍼부었다.

"너 같은 건 남을 좋아할 자격이 없어."

"그러게나 말야. 제까짓게 감히 어디서."

"개나 상대하셔. 이 할망구 병자야."

그애들은 번갈아가며 내게 험악한 욕을 퍼부어댔다.

'애들은 장난 전화의 범인이 나건 아니건 그딴 건 아무 상관도 없어. 그냥 왕따할 핑곗거리가 필요한 것뿐이야……'

나는 왕따를 당하던 때의 일이 다시 떠올랐다.

'무시하고, 욕하고, 곳곳에 내 이름이 든 끔찍한 낙서를 해놓고, 내 물건을 쓰레기통에 처박고, 화장실에서 물벼락을 퍼붓고, 난 정말 너무나 끔찍한 짓들을 당해왔어. 저 아이들이 도대체 무슨 권리로 나한테 그런 짓을 할 수 있는 거지……'

무엇보다 내게 충격적인 것은 진정한 친구라고 믿었던 세 아이들이 마치 손바닥 뒤집듯 상대편에 붙었다는 것이었다.

'정말 진정한 친구라고 생각했는데…… 친구라고 믿었는데……'

그렇게 믿었기 때문에, 이제까지 부모에게도 얘기하지 못한 비밀이며 고민들을 모조리 털어놓았는데, 그게 전부 물이 새듯 줄줄 새어버렸다.

'애들은 나와 친한 척하면서 내 비밀을 속속들이 알아내고, 그걸 다른 애들에게 전부 얘기하면서 지금까지 내 뒷전에서 웃어댔구나. 게다가 겨울방학 때, 오늘 내가 이렇게 불려나올 걸 미리 알고서 그런 식으로 얘기했던 거야. 날 놀렸어, 날 속였어, 배신자들…….'

빙 둘러선 아이들의 한가운데에 서서, 나는 가슴속에서 그 세 아이에 대한 미움이 뭉클뭉클 커져가는 걸 느꼈다. 할 수만 있다면 그 자리에서 세 아이를 죽여버리고 싶다고까지 생각했다.

그러나 그럴 수는 없었다.

나는 두 손을 꽉 움켜쥐고 입술을 깨물었다. 눈물이 뚝뚝 떨어졌다.

그런 내 모습에 아이들은 더욱 즐거워했다.

"아, 이제야 속이 좀 시원하다."

"변비가 한꺼번에 싹 가시는 것 같애."

"에구, 더러워."

"내일은 무슨 말을 또 해줄까?"

"응, 그렇지, 우리가 얘를 얼마나 싫어하는지 낱낱이 얘기해주는 게 어떠니?"

"그 얘기라면 시간이 아무리 많아도 부족할걸?"

"근데 얘 또 고자질하러 쪼르르 교무실로 달려가는 거

아냐?"

"그럴 테면 그러라지 뭘."

그러면서 당장이라도 나를 발로 차겠다는 몸짓을 했다.

나는 너무 분해서 눈물도 닦지 못하고 그 자리를 떠났다.

등뒤에서 애들이 퍼부어대는 욕설들이 들려왔다.

"바보, 멍청이. 할망구 병자야, 일찌감치 뒈져라."

"옳소!"

그리고 내내 뒤통수를 때리듯이 따라오던 그 아이들의 웃음소리…….

죽는 수밖에 없다

집으로 돌아가는 내내, 전학한 이래 줄곧 이어지던 왕따며 친구라 믿었던 아이들에게 배신당한 충격에 휩싸여, 내 머릿속은 갖가지 생각으로 터질 것만 같았다.

'오늘 일을 아빠 엄마에게 말하면 당장 학교에 연락할 테지. 그러면 또 고자질쟁이라고 더 끔찍한 꼴을 당할 거야. 지금까지 참아왔지만, 이제 나도 한계야. 이제 더는 못 참겠어…… 죽는 수밖에 없어…… 죽는 수밖에…….'

집에 도착하자마자, 이층 내 방 책상 앞에 앉아 죽을 방법을 곰곰이 궁리했다. 옥상에서 뛰어내릴까, 전차에 뛰어들까, 손목을 그을까…….

'그치만 그냥 평범하게 죽는다면 그애들은 아무 일도 없었다는 듯이 뻔뻔하게 고개를 쳐들고 살 거야. 그것만은 용서 못 해. 내가 얼마나 고통을 받았는지 똑똑히 깨닫게 해줘야 해…….'

나는 할복하기로 마음을 정했다. 당시 나는 할복이 정확하게 어떤 것인지 알지 못했다. 그저 배를 찌르는 것이 할복이라고만 생각했다. 어떻든 할복 자살로 결정한 나는 우선 왼손 손목 근처를 면도날로 그어 피를 내고, 그 피로 유서를 썼다.

'그애들만은 절대로 용서 못 해…….'

그 자리에 있던 아이들의 이름을 모두 적었다. 그리고 마지막에 이렇게 덧붙였다.

〈친구인 척하면서 나를 배신한 너희 셋만은 절대로 용서할 수 없다. 내 죽음으로 너희들을 마지막까지 저주할 것이다.

아빠, 엄마, 할머니, 미안해요…….〉

유서를 접어 책상 서랍에 넣어놓고 집을 나섰다.

할머니는 그 몇 해 전부터 류머티즘으로 매일 통원치료를 받았는데, 그날도 병원에 가셨는지 집에는 아무도 없었다.

집에서 5분 정도 걸어가면 슈퍼마켓이 있었다. 그곳에서 과도를 샀다. 조금 더 걸어 국도 2호선에서 택시를 타고 무코 강 하천 둑으로 향했다. 무코 강을 선택한 특별한 이유는 없었다. 그저 아무 데라도 좋았다.

무코 강은, 그 강을 경계로 아마가사키(尼崎) 시와 니시노미야(西宮) 시로 나뉘어 있었다. 나는 아마가사키 쪽에서 택시를 내렸다. 한참 걸었지만, 강변을 산책하는 사람들이 많아서, 사람들 눈에 띄지 않게 자살할 만한 장소를 찾을 수가 없었다. 다시 니시노미야 쪽으로 걸었다.

걸음을 옮기며 여기저기 살피는데, 물이 조금 고여 있기는 했지만 풀이 수북하게 뒤덮인 곳이 눈에 들어왔다.

'여기 앉으면 바깥에서 안 보일 거야. 여기서 죽자······.'

교복을 입은 채 젖은 땅에 단정하게 앉았다. 스커트를 지나 속옷까지 물에 젖으면서 차디찬 냉기가 스며들었다.

'무슨 일이 있어도 용서 못 해. 용서 안 해. 복수할 거야. 내가 얼마나 고통스러웠는지 똑똑히 깨닫게 해줄 거야······.'

나는 과도를 빼내 오른손으로 들고 칼 끝을 배에 가져다 댔다. 그리고 왼손으로 칼자루를 덮었다.

그러나 손이 부들부들 떨려서 아무래도 찌를 수가 없었다.

'무서워······ 무서워서 못 하겠어.'

한참 동안 그렇게 곧 찌를 자세를 취한 채 가만히 있었다.

'지금이라도 그만둘 수 있어. 그만둘 수······.'

그러나 손의 힘을 빼고 칼을 아래로 내리려는 순간, 나를 왕따하던 아이들의 얼굴이 차례차례 떠올랐다. 승리한 듯한, 득의만면한 얼굴. 그 웃음소리…….

'배신자…… 절대로 용서 못 해.'

그 순간, 배신한 세 친구에 대한 미움을 담아 단번에 세 곳을 찔렀다. 순식간에 엄청난 피가 내 몸에서 흘러나왔다.

앉아 있기가 힘이 들었다. 상반신을 젖은 흙바닥에 뉘었다.

아이들의 웃는 얼굴이, 내 눈에 낙인처럼 박혀 떨어지지 않았다. 새삼 분노가 치밀어올랐다.

'용서 못 해. 절대로 너희는 용서 안 해…….'

그러나 아무리 기다려도 의식이 없어지지 않았다.

배를 찌르면 당장 죽는 줄 알았는데, 아무래도 죽어지지 않았다. 어서 죽어서, 고통에서 벗어나고 싶었다. 누운 채로 다시 두 군데를 찔렀다.

그런데도 의식이 사라지지 않았다.

'아프다…… 너무 아파…… 아아…… 누구, 누구 없어요! 살려주세요!'

그러나 아무도 와주지 않았다.

그날은 정말 추운 겨울날이었다. 물이 흥건한 땅바닥의 한기는 뼛속까지 스며들었고, 쏟아지는 붉은 피는 나를 꼼짝 못 하게 했다. 내 힘으로는 몸을 일으킬 기력도 없었다.

'나는 뭐 하러 태어났을까. 어쩌다 이렇게 되고 말았을

까…… 이럴 리가 없었는데…… 이럴 리가…….'

참으로 비참한 생각이 사무쳤다.

고통 속에서도 이런저런 생각들이 스쳐갔다. 문득 외할머니의 다정하게 웃는 얼굴이 떠올랐다.

'미쓰요―'

외할머니가 어디선가 나를 부르는 것만 같았다.

'할머니가 보고 싶어. 집에 가고 싶어…….'

마침 그때, 자전거를 탄 중년 남자가 바로 곁을 지나다가 고개를 빼고 나를 바라보았다. 나도 모르게 부르짖었다.

"살려주세요!"

그 남자는 한동안 사정을 살피는 듯하더니 그대로 자전거를 타고 가버렸다. 그 사람이 다시 나타나지도, 구급차가 오지도 않았다. 아마 이런 성가신 일에 끼여들고 싶지 않았으리라.

'세상이란 이런 거야. 자기만 편하면 그만인 사람들뿐이야. 자기만 편하면 남들이야 어찌 되건 상관도 안 해. 역시 죽는 게 나아…… 어서 죽고 싶어.'

그러나 한번 떠오른 외할머니의 얼굴이 사라지지 않았다.

'할머니, 할머니가 보고 싶어. 다시 한 번, 꼭 한 번만이라도 집에 돌아갔다가 죽을 수 있었으면…….'

죽음과 삶, 두 갈래의 마음이 번갈아 일어났다.

'두 시간 전으로 돌아갈 수만 있다면……'

구사일생

얼마나 시간이 지났을까, 남녀 커플이 곁을 지나치는 게 보였다. 이게 마지막 기회다 싶어, 나는 남은 힘을 다 모아 외쳤다.

"살려…… 주세요……."

하지만 생각대로 소리가 나오지 않았다.

'아아, 이젠 안 되겠어……'

거의 모든 것을 포기했을 때, 그 커플이 나를 알아보았는지 황급히 달려왔다. 피투성이가 되어 있는 나를 보고 깜짝 놀라 어쩔 줄을 몰라했다.

이내 여자가 침착함을 되찾고 내게 말했다.

"얘, 이게 웬일이니? 아무튼 절대로 죽으면 안 돼. 죽으면 안 돼. 지금 구급차를 불러올 테니까……."

남자가 공중전화로 급하게 달려가 구급차를 부르는 것 같았다. 그 사이에도 여자는 줄곧 내게 말을 걸어주었다.

"구급차가 이제 금방 올 테니까 힘을 내. 죽으면 안 돼, 죽으면 안 된다, 알았지?"

묘한 마음이었다. 그 사람들이 내 곁에 와준 것에 마음이
크게 놓이면서, 동시에 다시금 일이 이렇게 된 데 대한 분노
가 치밀어올랐다.

"내가 죽으면 이렇게 전해주세요. 한이 맺혀서 죽어갔다
구요……."

입술을 부들부들 떨어가며 나는 그렇게 말했다.

"그런 소릴 하면 안 돼. 살아야지. 무슨 일이 있어도 살아
야 하는 거야. 너는 살아날 수 있으니까 절대로 포기하면 안
돼."

그 언니는 그렇게 나를 격려해주면서 입고 있던 코트를
벗어 차갑게 얼어붙은 내 몸을 감싸주었다.

'이 언니가 우리 반이었다면 얼마나 좋을까…….'

구급차가 도착했고, 나는 니시노미야 구급병원으로 실려
갔다. 병원에 도착해서 들것에 실려 응급 처치실로 가는 도
중에도 아직 의식이 있었다.

"죽으면 안 돼. 어떻게든 살아야 한다."

나를 구해준 언니가 거기까지 함께 따라와 거듭 내 귓전
에 들려주는 다정한 말에 마음이 한결 놓이던 일이며, 내가
저지른 일에 대해 후회가 들어 곁에 있던 사람들에게 용서
를 빌었던 게 생각난다.

"폐를 끼쳐서 죄송해요."

그때, 울어서 눈이 부은 어머니 얼굴이 내 시야에 뛰어들어왔다. 경찰에서 연락을 받고 황급히 달려온 모양이었다.

긴급 수술을 받았다. 1천2백 밀리리터나 되는 수혈을 받았다. 칼에 찔린 상처는 깊이 10센티미터, 그 중 한 곳은 간에까지 이르러 있었지만, 구급차를 불러준 그분들과 의사 덕분에 가까스로 목숨은 건질 수 있었다. 사흘 동안 중환자실에 있다가 일반 병동으로 옮겨졌다.

내 배에는 다섯 군데의 자상(刺傷)과, 명치 끝에서 배꼽까지 15센티미터의 수술 흔적이 남았다.

그리고 폐에 고인 혈액을 빼내기 위해, 겨드랑이 아래 12센티미터 지점을 열고 거기에서 폐까지 관을 넣어야 했다. 메스를 대기 전에 국부마취를 하고, 간호사 네 명이 침대에 누운 나의 두 손과 두 발을 세게 눌렀다.

'어째서 이렇게 세게 누르는 걸까? 그렇게 아픈 걸까? 아프지 않게 하려고 마취 주사를 놓았을 텐데 어째서……'

나는 잔뜩 겁에 질렸다. 그때, 주치의 선생님이 다정하게 말했다.

"조금 아프기는 하지만, 그렇게 걱정할 건 없어. 자, 지금부터 메스를 넣는다, 자, 메스가 들어갔다."

메스가 들어갈 때는 전혀 아프지 않았다. 국부마취의 효과 때문이었다.

'다행이다. 하나도 안 아파……'

그러나 다음 순간―

"아악, 하지 마, 하지 마요! 엄마, 못 하게 해!"

나는 병원 안이 떠나가라 소리를 질렀다. 그 순간, 간호사들이 온 힘을 다해 내 손과 발을 꽉 눌렀다. 메스를 넣을 때보다 직경 1센티미터 정도의 관이 폐 속에 들어갈 때 끔찍한 통증이 일어나는 것이었다. 사흘 후에 관을 빼낼 때도 똑같은 통증을 겪었다.

'그애들을 어떻게도 용서할 수 없어서 복수해주려고, 그래서 죽으려고 했는데, 모든 괴로움이 나한테로 쏟아졌어. 이건 복수가 아냐, 이렇게 해서는 복수할 수 없어. 난 정말 지독한 바보야……'

복수하겠다는 마음에 자살이라는 방법을 선택했지만, 재앙은 전부 나 자신에게 되돌아온다는 것을 나는 그때 처절하게 느꼈다.

어머니는 나를 간호해주느라 매일 병실에 찾아오면서도 자살을 기도한 일에 대해 이렇다 저렇다 말이 없었다. 주치의 선생님도 간호사도 그 일에 대해서는 아무 말이 없었다. 언제나 웃는 얼굴로 부드럽게 대해주었다. 모두가 나에게 다정했다. 다들 나를 위해 조심하고 있다는 걸 가슴이 아릴 정도로 알 수 있었다. 나는 어머니에게 물었다.

"엄마."

"응?"

"학교는 어떻게 됐어?"

"어떻게라니?"

"다들 내 일을 알고 있어?"

"………."

"엄마, 다들 알아?"

"………."

"신문에 실렸을까?"

"쓸데없는 걱정 하지 마……."

어머니는 내가 동요할까 봐 그날 신문을 일절 보여주지 않았다. 자살하려고 한 이유도 묻지 않았다. 그러나 불안만은 감출 수 없는 모양이었다.

어느 날, 침대 곁에 앉아 과도로 사과를 깎고 있는 어머니를 바라보고 있을 때였다.

'어쩜 저렇게 능숙할까. 사과 껍질이 한 번도 안 끊어지고 끝까지 이어져…….'

껍질이 도중에서 끊기지 않고 매끈하게 깎아지는 걸 나는 가만히 바라보고 있었다.

그런데 내가 지켜본다는 걸 깨달은 어머니는 갑자기 손을 딱 멈추고 당황하더니, 사과즙이 묻은 과도를 가방 속에 그대로 밀어넣어 버렸다. 그리고 슬픈 눈으로 나를 보았다.

'엄마…… 이제 자살 같은 건 안 할 거야. 그러니까……
이제 그런 눈으로 보지 마…….'

자업자득이었지만, 슬프고 괴로운 마음이었다.

열흘 후, 실밥은 아직 빼지 않았지만 나는 병실 앞 복도에
서 걷는 연습을 시작했다. 손잡이를 잡고 천천히 걸음을 떼
고 있는데, 다른 병실에 있던 한 여자 환자가 다가왔다. 서
른 살 정도나 되었을까, 한눈에도 술집 여자인 듯한 분위기
였는데, 목과 손에 깁스를 하고 있었다.

"난 그냥 자동차 조수석에 타고 있었는데, 갑자기 뒤에서
들이박지 뭐니?"

그 여자가 나한테 다가오더니 마치 아는 사람에게 말을
건네듯 자기가 깁스를 하게 된 이유를 설명해주었다.

"그러세요?"

나는 그것밖에 할말을 찾지 못해 가만히 있었다.

"너, 열흘 전에 이거 한 애지?"

그러면서 오른손을 동그랗게 말아 칼자루를 쥐는 몸짓을
하더니 몇 번이고 자기 배를 찌르는 흉내를 냈다. 내가 그런
말에 어떤 상처를 입을지 아무 생각이 없는 모양이었다. 그
여자는 태연하게 웃으며 내가 정말 그애냐고 몇 번이나 물
었다.

'역시 신문에 났어. 모두들 내 일을 알고 있는 거야…….'

64

너무나 창피했다. 당황하여 내 병실로 급히 돌아갔다. 그 이후 퇴원할 때까지 나는 병실에서 한 걸음도 나가지 않았다.

악몽

입원중에 담임 선생님이 몇 차례 병문안을 왔다. 담임 선생님은 병실에서 줄곧 빙글빙글 웃었다. 웃으면 뺨이 움푹 패었다. 보조개인지 여드름 자국인지 알 수 없었다.

'이 사람은 뭘 하러 온 걸까. 뭐가 그렇게 기분이 좋을까……'

나를 위로할 마음에서 일부러 웃는 얼굴을 보였는지도 모른다.

그러나 그렇게도 남의 마음을 살펴줄 줄 모르는가 싶어 나는 또 상처를 입었다.

약 한 달 반이 지난 후 퇴원했다. 내가 병원에 누워 있는 동안 학교측과 부모 사이에 앞으로 어떻게 할 것인지 이야기가 오고 간 모양이었다.

나는 다시 그 학교로 돌아가는 것만은 절대로 싫었다. 그런데 내 바람과는 정반대로 다시 그 학교로 돌아가고, 게다가 같은 선생님이 담임을 맡게 되었다는 것이었다.

그 이야기를 일요일 저녁 식탁에서 들었다.

"학교하고 이야기를 했는데, 다시 거기에 다니기로 했다."

"뭐라구?"

"그리고 담임도 같은 선생이 맡기로 했어."

"왜? 어째서?"

"시키는 대로 말 들어."

"그 학교에 또 다니는 건 절대로 싫어!"

부모에게 그 학교로 돌아가라는 말을 들은 나는 그렇게 외쳤다.

그러나 아버지는 나를 달래려고만 들었다.

"아직 중학교 2학년밖에 안 됐잖냐, 학교는 다녀야지."

"다른 데도 학교는 많아."

"전학은 안 된대."

"그 학교 다니면 이번엔 또 어떻게 될지 나도 몰라."

"담임 선생이 꼭 신경 써준다고 하더라."

"그 선생님이 뭘 어떻게 신경을 써준다는 거야?"

"그러지 말고 말 들어. 어딜 가든 마찬가지야."

"싫어, 싫단 말야."

그런 대화가 거듭되었다.

아마 다른 어떤 학교로 전학을 시키든 소문은 이미 다 퍼졌고, 옮겨간 학교에서도 다시 왕따를 당할지 모른다, 그러느니 처음부터 사정을 알고 있는 원래 학교에 다니는 편이 나을 거라고 판단했던 것이리라.

그래도 나는 갈 수 없다고 버텼다.

그러자 어머니가 더 이상 참을 수 없다는 듯이 말했다.

"길거리에 나가면 남들이 다 손가락질을 하면서 수군거려, 이것아!"

—저기 저 사람이야. 저 사람 딸이래. 요전에 강변에서 할복 자살하려고 했던 애. 분명히 부모가 뭘 잘못한 거야. 도대체 어떻게 가르쳤길래 애가 그런 짓을 저지를까……

"엄마는 어디 맘놓고 나가지도 못해. 그렇게 엄청난 일을 벌여놓고 학교에도 안 가겠다고 떼를 쓰니…… 제발, 학교만은 다녀라. 남들 보기도 창피하니까."

우리 집 이웃 중에서는 진심으로 걱정해주는 이들도 많았지만, 그 중에는 흥미거리로 삼아 비웃는 사람들도 있었다. 어머니도 무척 괴로웠을 것이다. 그러나 나는 어머니의 말에 큰 충격을 받았다.

'내가 이렇게 괴로움에 빠져 있는데…… 엄마는 나보다도 세상 사람들이 어떻게 보는가, 그게 더 중요한 거야…….'

엄마에게 그렇게 말하고 싶었다.

그러나 목구멍에 걸린 그 말을 꿀꺽 삼키고, 나는 웃는 얼굴로 말했다.

"엄마가 그렇게 가라고 하니까, 3학년 1학기부터 학교에 갈게."

나 스스로 엄청난 짓을 저지르고 말았다는 것을 절실하게 깨닫고 있었고, 더 이상 어머니의 미움을 사고 싶지 않았기 때문이었다.

3

내리막길

지옥

1980년 4월, 나는 석 달 만에 학교에 나갔다. 나를 보는 아이들은 하나같이 깜짝 놀란 표정이었다. 그리고 모두가 찌르는 듯한 허연 시선을 보내왔다. 나는 그때 비로소 '백안시하다'라는 말의 뜻을 온몸으로 느꼈다.

"뭐 하러 왔다니?"

"정말 뻔뻔하기도 하지."

"그렇게까지 학교 망신을 시켜놓고 어떻게 다시 나올 수가 있니? 정말 정신이 어떻게 된 애 아냐?"

"쟤가 제정신이겠니?"

"쟤랑 같은 반 되면 어쩌지?"

"같은 반 되면 난 차라리 자살할래. 자! 살! 킥킥킥."

일부러 들으라는 듯이 대놓고 말하는 아이들도 있었다. 나는 그 길로 다시 집에 돌아가고 싶었다.

그러나 우리 반 교실에 들어가면 담임 선생이 있고, 모두가 그런 태도를 취할 리는 없다. 적어도 우리 반 애들만은 따뜻하게 맞아줄 것이라고 마음을 고쳐먹고, 용기를 내어 교실에 들어갔다. 그러나 그것은 달콤한 기대였다는 것을 곧바로 깨달았다.

3학년이 되어 처음 만나는 자리. 처음에는 가나다라 순으로 앉았지만, 반과 자리를 제비뽑기로 정하게 되었다.

상자에서 종이쪽지 한 장을 집어들자 4-3이라는 번호가 적혀 있었다. 4반 3번 자리라는 의미였다.

잠시 후에, 나와 같은 반이 되는 4반을 뽑은 한 아이가 큰 소리로 외쳤다.

"어머, 난 몰라!"

그러자 곁에 있던 아이들도 합세해서 외쳤다.

"뭘 몰라?"

"쇼크, 나 쇼크 먹었어!"

"몇 반인데?"

"쟤랑 같은 4반."

"꺄악!"

"옴재수!"

"진짜 옴재수!"

"제발 누가 나랑 좀 바꿔줘."

저마다 한마디씩 하며 소동이 벌어졌다.

그 말을 들은 다른 학생들도, "바꿔줄 사람이 어딨겠냐?" 라고 히죽히죽 웃어가며 나를 흘끔거렸다.

'그렇게도 나랑 같은 반이 되는 게 싫단 말이지…….'

명치 부근이 훅 뜨거워졌다.

반 편성이 끝나고 각자 자기 교실에 찾아가 자리를 잡고 앉았다. 새로 만난 아이들의 자기 소개가 시작되었다.

"내 취미는 음악 감상입니다. 장래 희망은 가수입니다. 앞으로 사이좋게 지냅시다."

학생들은 저마다 정해진 자기 소개를 했고, 자기 소개가 끝나면 박수로 환영해주었다.

'다음은 내 차례야. 취미는, 그래, 독서라고 하자. 장래 희망은, 지금으로서는 정해진 게 없지만, 유치원 선생님이라고 할까? 그리고, 앞으로 잘 부탁드립니다 라고 해야지…….'

어떻게 하면 첫인상을 좋게 할까, 나는 필사적으로 생각을 더듬었다.

이윽고 내 차례가 되어 자리에서 일어섰다.

"취미는……."

막 입을 떼었을 때였다.

"쟤 취미는 할복이래요."

뒷자리에서 한 남학생이 야유를 던졌다. 주위 학생들이 한꺼번에 와 웃었다.

나는 내 얼굴이 딱딱하게 굳어가는 것을 느꼈다. 더 이상 뒷말이 나오지 않았다.

"잘…… 부탁……."

모기 우는 것 같은 작은 소리로 대충 얼버무리고 재빨리 내 자리에 앉았다. 주위에서는 환영의 박수가 아니라 킥킥 킥 웃어대는 소리가 이어졌다.

어떻게 그런 소리를 할 수 있느냐고 나무라는 사람은 하나도 없었다.

담임 선생은 "이놈들!"이라고 한마디 할 뿐, "자, 다음 사람" 하고는 그대로 다른 학생에게 자기 소개를 하라고 했다.

〈이놈들〉 한마디로 끝이야? 말도 안 돼! 취미는 할복이 래요 라고 야유를 던진 애한테, 그런 말을 하다니 인간으로서 용서받을 수 없는 짓이라고, 어째서 당장 따끔하게 꾸짖지 않는 거야? 그러고도 선생이야? 나를 이 학교에 다시 불러들인 이유가 대체 뭐야? 학교측의 체면을 세우려는 것뿐

이었어?'

가슴에 절망감이 몰려들었다.

점심시간, 교실 창문으로 밖을 바라보고 있었다.

'역시 예상했던 대로야. 아무것도 변한 게 없어…… 정말 최악이야…….'

눈물이 날 것 같았다. 마침 그때, 오전 시간에 막 선출된 반 위원 여학생이 내게 말을 걸어왔다.

"괜찮니?"

영어를 잘하고, 청소당번 같은 남들이 싫어하는 일도 스스로 나서서 하는 '자타가 인정하는 모범생'. 당연히 선생님으로부터 전폭적인 신뢰를 받고 있었다.

'우리 반에서 내게 말을 걸어주는 애가 다 있네. 아까는 다들 보고 있어서 아무 말도 못 했던 거야. 정말 고마운 애야.'

나는 기뻐서 밝게 대답했다.

"응, 괜찮아."

그러자 그 아이가 다정하게 말했다.

"뭐든 문제가 있으면 나랑 상의해주면 좋겠다."

"정말, 정말 괜찮겠니? 친하게 지내줄래?"

나는 도움을 청하듯이 물었다.

그때, 우리 두 사람을 지켜보던 아이 하나가 그 여학생을 자기들 쪽으로 불렀다. 그리고 뭔가 이야기하기 시작했다.

"어째서 저런 애랑 얘기를 하니?"

"아니, 선생님이 얘기를 해주라고 그러시는데 어떡하니……."

"선생님이 나한테도 재하고 잘 지내라고 하더라. 그치만 그건 우리 자유 아니니? 그런 말은 무시해도 돼."

"난 학급위원이라 어쩔 수가 없단 말야."

"애, 쟤 정신과에 들락거리는 거 몰라?"

"설마! 어째 좀 이상하긴 하더라."

"저런 죽지도 못한 애는 절대로 상대하면 안 돼. 다쳐."

"그렇게 노골적으로 얘기하면 어떡해, 너무하잖니?"

신이 나서 그렇게 숙덕거리며 교실을 나갔다.

'내가 정신과에 다니는 거 애들이 알고 있어. 부모하고 학교 이외에는 아무도 모르는 줄 알았는데…… 그치만, 난 아무 데도 이상하지 않아…… 난 정신병자가 아냐.'

억울함이 치밀어올랐다.

굴욕

구급병원에서 퇴원한 뒤, 어머니에게서 또 다른 병원에

한동안 통원해야 한다는 말을 들었다.

나는 왜 또 병원에 다녀야 하는지 알 수 없어 어머니에게
물었다.

"엄마, 내일 병원에 간다고 했는데, 어떤 병원?"

"입원했던 곳 바로 근처에 있는 병원."

"뭐 하러?"

"검사받을 게 좀 있대."

"누구한테?"

"………."

"무슨 검산데?"

"걱정할 거 없어. 그냥 하라는 대로 하면 돼."

더 이상 거스를 만한 입장도 아니어서 하라는 대로 다음
날 병원에 갔다.

그곳은 대학병원의 정신과였다. 갖가지 테스트를 받아야
했다. 너무나 다양한 테스트를 받아서 모두 생각나지는 않
지만, '상정요법(箱庭療法)'을 받은 것만은 선명하게 기억
난다. 그리고 어린 시절에 관한 이야기를 꼬치꼬치 물었다.
질문은 나뿐만이 아니라 아버지, 어머니, 외할머니에까지 미
쳤다.

아무리 어머니가 나를 속이려고 했어도, 아무리 내가 열
네 살밖에 안 된 아직 물정 모르는 아이였어도 나는 알 수
있었다. 정신에 이상이 있는가 없는가를 테스트하려고 한다

는 것⋯⋯.

정신과가 나쁜 곳이라는 이야기를 하려는 게 아니다. 꼭 갈 필요가 있다면 어째서 떳떳하게 설명해주지 않는가. 아직 어리다고 해도 분명하게 설명해준다면 납득하고 스스로 나서서 병원에 다닐 수도 있다. 하지만 어머니는 아무 설명도 없었다. 나는 그때 어머니에게 크나큰 불신감을 품었다.

병원에서는 테스트만 실컷 받았고, 왕따를 당해 괴로웠던 일에 대해서는 아무것도 묻지 않았다. 정말 말할 수 없는 굴욕이고 치욕이었다.

'자살하려고 한 것은 왕따가 원인이었어. 나는 정신이 이상한 게 아니야. 나는 미치지 않았어. 난 그냥 평범한 애일 뿐이야!'

어린 시절

나는 1965년 10월 18일에 태어났다. 아버지가 서른여덟, 어머니가 서른일곱 살 때였다. 아버지 어머니 모두 회사에 다니셨고, 어머니는 출산 예정일 이삼 일 전까지 회사에 나가셨다고 한다. 전치태반(태반이 자궁 아랫부분에 부착하여 산도를 막은 상태)이어서 제왕절개로 태어났다.

"축하합니다. 따님이에요."

수술실 앞에서 목이 빠져라 기다리던 아버지는 간호사가 전해주는 말에 무척 섭섭해했다고 한다.

"저런, 딸이에요?"

태어나는 아이가 사내아이일 거라고 지레짐작하고는 잔뜩 기대했던 탓이었다. 그러나 그 섭섭함도 침대에 누운 내 얼굴을 보고 곧바로 날아가버렸던가 보다.

"아이구, 정말 예쁘다, 예뻐."

아버지는, 어머니와 내가 퇴원할 때까지 매일 퇴근하면 곧바로 병원으로 달려오곤 했다고 한다.

생후 몇 개월 동안, 밤에 우는 일 한 번 없었던 나는 정말 키우기 쉬운 아기였다고 한다. 단지, 모유가 전혀 나오지 않아 젖병을 빨며 분유로 자랐다.

부모님으로서는 늦게 본 아이여서 그야말로 눈에 넣어도 아프지 않을 정도로 온갖 애정을 쏟으셨다. 외할머니도 친손자처럼 귀여워해주셨다. 그 탓인지, 나는 지독한 응석받이로 자랐다.

1970년, 시내에 있는 에코 유치원에 입학했다.

그 유치원은 스쿨버스가 없어 모두 걸어서 다녔다. 회사에 다니는 어머니 대신 외할머니가 나를 유치원까지 데려다주고 맞으러 왔다. 딸 하나, 게다가 어리광만 잔뜩 부리며 자란 나는 유치원에 입학할 때까지 같은 또래의 아이들과 놀아본 일이 별로 없었다. 그 탓에 나는 외할머니 곁을 쉽게 떨어지지 못했다. 유치원 교실 앞에서 할머니와 헤어질 때마다 나는 정신없이 울어댔다.

"할머니, 가지 마, 가지 마."

담임이었던 마에다 선생님이 번쩍 안아 교실에 데리고 들어가도 여간해서 울음을 그치지 않았다.

"와아, 미쓰요 도시락 정말 근사한데? 아유, 맛있겠다. 선생님한테도 조금 나눠줄래?"

점심시간이 되도록 칭얼거리다가 선생님이 도시락을 열어보며 그렇게 얼러주면, 훌쩍거리면서도 이렇게 말했다고 한다.

"응, 선생님 나눠줄 거야. 이거 우리 아빠가 만들었어."

그리고 그제서야 겨우 마음이 돌아서서 울음을 그쳤다.

아버지는 요리를 잘했다. 요리가 그분의 유일한 취미였다. 어머니보다 아버지가 음식을 만드는 일이 더 많았다. 내가 유치원에 가져갈 도시락도 매일 아침 아버지가 손수 만들어주셨다.

"오늘은 미쓰요가 제일 좋아하는 오므라이스다."

"진짜?"

"이거 정말 맛있다."

"와아."

"다 먹어야 해."

"응. 엄마도 봐, 버찌도 있어!"

"미쓰요는 정말 좋겠네."

어머니가 다정하게 웃으며 말했다.

아버지가 만들어준 도시락, 그 맛을 나는 아직도 잊을 수 없다.

초등학교 1학년에 입학해서도 여간해서는 같은 반 아이들과 어울리지 못하고 혼자 있는 일이 많았던 나는 같은 반 남자애들이 조금만 놀려도 금세 울음을 터뜨리곤 했다.

쉬는 시간에 혼자 정글짐에서 놀고 있으면, 담임인 야마이에 선생님이 나를 보러 나오곤 했다.

"아까까지 꺽꺽 울던 까마귀가 이제 헤헤 웃고 있구나."

어깨까지 내려오는 머리를 단정하게 묶고 노래를 잘하는, 언니 같던 선생님. 언제나 얼굴에서 웃음이 떠나지 않던 다정한 분이었다.

'야마이에 선생님이 줄곧 담임이었다면 내 인생도 달라졌을지 몰라…….'

그분을 생각할 때면 떠오르는 생각이다.

2학년이 되어서야, 집이 가까운 아이들과 어울리게 되었다. 그 또래 여자애들이 다 그랬듯이 나도 인형놀이를 가장 좋아했다. 리카 인형이며 인형의 집…….

학교에서는 공작 시간이 제일 좋았다.

"미쓰요는 손끝이 정말 야무지구나."

그런 칭찬을 듣는 게 좋아서 갖가지 것을 열심히 만들었다. 그림 대회에 나가 입상했던 기억도 난다.

"과연 내 딸이구나."

아버지는 참으로 좋아했다.

3학년이 되면서 피아노를 배우기 시작했다. 학급 발표회 같은 때는 늘 내가 피아노를 쳤다. 학부형을 초대하는 발표회 날, 피아노를 치는 나를 보기 위해 아버지는 회사에 나가지 않았다. 그리고 피아노를 치는 내 바로 앞에까지 나와서 사진을 찍어댔다. 아버지의 노골적인 딸자식 자랑은 이미 온 동네에 파다하게 소문이 나 있었다.

"미쓰요 아버지, 행여나 했더니 역시 오셨군요."

이웃집 아주머니는 입을 헤 벌리고 우리 부녀를 번갈아 보며 말했다.

아버지는 그러거나 말거나 전혀 개의치 않고 곁에 앉은 학부모에게 딸 자랑하기에 바빴다.

"아까 피아노 치던 애가 바로 제 딸 미쓰요입니다. 어찌나 피아노를 잘 치는지 그저 발표회 때마다 도맡아서 뽑히지요."

주위에서 인사말 삼아 좋겠다고 부러워해주면, 아버지는 그제야 만족해서 돌아가곤 했다.

공작과 음악은 썩 잘했지만, 다른 과목은 성적이 그다지 좋지 않았다.

'아주 잘함' '잘함' '노력 바람' 세 가지 중에서 거의 대부분의 과목이 '잘함'이고, 산수와 자연은 항상 '노력 바람'이었다. '아주 잘함'은 하나도 없었다.

성적표에 '끈기가 없다'는 의견이 늘 따라다녔다. 내가 좋아하는 음악이나 공작은 열심히 했지만, 싫어하는 공부는 전혀 하지 않았다. 사실 열심히 공부할 마음도 끈기도, 내겐 없었다.

고학년이 되어서도 성적이 그다지 좋지 않았지만, 나는 신경도 쓰지 않았다. 부모님도 그리 채근하지 않았고, 학원 같은 데도 다니지 않았다. 그러나 친구도 많아졌고 항상 즐거웠다. 그래, 그때 나는 행복했다.

나는 어디에나 흔히 있는 보통 아이였다. 그 학교로 전학하기 전까지는……

비행

―어쩜 죽지도 못했니.

같은 반 아이에게 그 말을 들었을 때, 나는 생각했다.

'이제 이곳은 더 이상 내가 있을 곳이 아냐……'

그리고 생각했다.

'저애들에게 인간의 양심이라는 게 있을까, 상처입고 약해진 사람을 아무렇지도 않게 비방하고 중상하는 저애들에게? 만약 저애들이 인간이라면, 나는 지금 당장 인간이기를 포기할 거야……'

나는 그때 그렇게 결심했다.

그후 내 생활은 완전히 바뀌어, 나는 밤거리를 서성이는 아이가 되었다.

역 앞 게임 센터. 당시 유행하던 〈콜 미〉며 〈히미코〉라는 노래가 한껏 높인 볼륨으로 왕왕 울려대던 곳, 그곳 깊숙한 안쪽에 가출 소녀들이며 어디에도 발붙이지 못한 소년들이 끼리끼리 모여 있었다.

그 게임 센터를 기웃거리던 나는 출입구 바로 곁에 있는 게임기 앞에 앉았다. 호주머니에서 동전 지갑을 꺼내 백엔짜리 동전을 찾고 있을 때였다.

저 안쪽에서 내 모습을 지켜보고 있던 한 여자애가 내게 다가왔다.

'새까맣게 그을린 게, 어째 지저분해 보이는 애네……'

그 아이에 대한 첫인상은 그랬다. 파인애플처럼 자른 머리를 노랗게 물들이고, 길게 기른 손톱에 칠한 포도주빛 매니큐어는 거의 벗겨지고 있었다.

"야, 처음 보는 얼굴인데?"

"………."

"돈 좀 빌리자."

나이깨나 든 척 굴고 있었지만, 어딘지 어리숙한 얼굴이었다. 나보다 나이가 많은지 어쩐지도 가늠을 할 수 없었다.

'나보다 어린데 괜히 고개 숙이고 들어가면 깔볼 거야. 근데 나보다 나이가 많으면 어쩌지?'

아무튼 얕잡아 보이는 것보다는 낫겠다 싶어 나는 반말로 딱 거절했다.

"돈 없어."

그러나 그 아이는 물러서지 않았다.

"거짓말 마."

"………."

"너 지금 지갑에서 돈 꺼냈지? 다 봤어."

"………."

"있으면서 왜 없다고 그러니?"

"너한테 빌려줄 돈은 없다는 거야."

"뭐야?"

순간 뻑뻑한 공기가 흘렀다. 그러나 그 아이는 무슨 생각이 들었던지, 더 이상 추궁하지 않고 선선한 목소리로 물었다.

"너 몇 살이냐?"

"열네 살."

"학교는 어딘데?"

"제5중학교."

"어머, 난 바로 그 옆에 있는 제6중학교야."

그 아이는 내가 다니던 중학교 바로 곁에 나란히 붙은 학교에 다니고 있었다. 그 아이가 갑자기 다정스럽게 지껄여 댔다.

"나도 열네 살이야."

"그래?"

"이름은 아카네. 넌?"

"미쓰요."

"애, 지금 시간 있니?"

"응, 시간은 있어."

"바로 요 근처에 우리 선배 아파트가 있걸랑? 나 지금 거기 갈 건데, 같이 가자. 먹을 것도 있고, 뭐, 그냥 맨날 들락날락하는 데야."

그때 그 아이에게 흥미가 있었던 건 아니었다. 처음에는 돈을 빌려달라더니 갑자기 태도를 바꾸어 엉뚱한 소리를 하는 바람에 '좀 모자란 애'가 아닌가, 라고까지 생각했다. 게다가 이런 아이와 사귀면 위험할지 모른다는 의식도 분명히 있었다. 그러나 내 뇌리에서 떠나지 않는, "어쩜 죽지도 못했니"라는 말이 날 충동질했다.

'흥, 될 대로 되라지.'

나는 아카네의 뒤를 따라갔다.

이층짜리 서민 아파트 일층의 제일 끝방. 현관에서 신을 벗고 올라서면 곧바로 조그만 부엌이 있었고, 그 안쪽에 조금 넓은 방과 화장실 딸린 욕실이 이어졌다. 나보다 두 살 위인 열여섯 살 마키코가 사는 집이었다. 아카네의 선배인 마키코는 중학교를 졸업한 후 찻집에서 아르바이트를 한다고 했다. 어깨까지 치렁한 퍼머 머리가 잘 어울렸다.

'좀 신경질적으로 보이네……'

끝이 살짝 올라간 길쭘한 눈이 그런 이미지를 풍겼다.

방에 들어가자마자, 아카네가 마키코에게 말했다.

"언니, 얘, 나랑 나이가 같고 이름은 미쓰요래. 이제부터 여기 와도 되지?"

마키코는 대답을 하지 않았다. 아카네는 대꾸하지 않는 마키코에게 무언가 다른 이야기들을 해댔다.

나는 말없이 앉아 두 사람의 이야기를 듣고 있었다.

그렇게 얼마 동안 있는데, 두 여자애가 찾아왔다. 그애들은 인사고 뭐고 없이 현관에서부터 지껄여대기 시작했다.

"선배, 어제는 정말 끔찍했던 거 있지. 검문소를 돌파해보려고 잔뜩 어깨에 힘을 주고 출발했는데 제기랄, 엔진은 말을 안 듣지, 까딱하다가는 짭새들한테 걸릴 뻔했지 뭐야……."

"애가 지금 아키오를 도모코한테 뺏기고는 잔뜩 열받아서
날뛰는 거야, 하하하."

"도모코란 년, 그 알량한 몸매로다가 아키오를 아주 녹여
놨더라구. 아키오도 그렇지, 그런 지저분한 년 어디가 좋다
구."

"나라도 너보다는 도모코를 택하겠다, 하하하."

"너 정말 누구 죽는 꼴 볼래!"

'여긴 폭주족들의 아지트로구나…… 몸매로 녹여? 와우,
굉장하네…….'

그런 생각을 하면서도, 말투가 너무 우스워서 나도 함께
웃고 말았다.

그제서야 두 사람은 방 안에 있는 나를 알아차린 모양이
었다.

"누구야?"

한 사람이 현관에 쳐 있던 커튼을 양쪽으로 가르며 고개
를 내밀었다.

나를 바라보며 묻는 말이었는데, 곁에 있던 마키코가 틈
을 두지 않고 말했다.

"아카네 친구, 이름은 미쓰요. 사이좋게 지내."

나는 그 순간 마키코에게 호감을 느꼈다. 마키코는 그때
까지 나에 대해 별다른 말은 하지 않았지만 마음속으로 이

미 나를 받아들이고 있었던 것이다.

'아, 좋은 사람이구나……'

기분이 좋아진 나는 몸을 내밀고 두 사람을 향해 웃는 얼굴로 인사했다.

"안녕하세요?"

두 사람은 방에 들어서면서 쾌활하게 인사했다.

"나는 요코, 이쪽은 유카리. 잘 부탁한다."

아키오라는 남자애에게 차인 애가 요코였다. 요코는 나보다 한 살 아래인 열세 살이었는데, 어깨까지 기른 머리를 웨이브로 말아놓았다. 요코는 그걸 소바주(머리끝 쪽부터 약하게 퍼머를 하여 웨이브를 만드는 야성미 넘치는 머리형. 소바주는 불어로 야성이라는 의미) 머리라고 했지만, 아무리 봐도 아프로(곱슬머리를 전체적으로 둥그렇게 다듬은 형태) 같은 느낌이었다. 유카리는 나와 나이가 같았다. 짧게 커트한 머리를 올백으로 넘긴 유카리에게서는 태틱스라는, 남자들이 바르는 머리향수 냄새가 났다.

'우와, 둘 다 나보다 두세 살은 더 먹어 보이네.'

그날 그애들과 이야기를 나누며 곧바로 친해졌다.

요코는 중학교 1학년 때부터 가출을 거듭하다가 결국 학교에도 나가지 않았지만, 부모도 이제 포기했는지 아무 말도 하지 않는다고 했다.

"편해서 좋아."

그렇게 말하는 요코는 어딘가 쓸쓸해 보였다.

유카리는, 부모에게는 불만이 많았지만 학교에는 그리 큰 불만은 없는 모양이었다. 학교에 가면 친구도 있고, 꽤 재미도 있다고 했다.

아카네는 자기에 대해서는 한마디도 하지 않았다. 그저, 다음에 걸리면 빵(소년교도소)에 갈지도 모른다고만 말했다.

그날 이후, 나는 요코와 그 친구들을 따라 다른 그룹의 아지트에도 들락거리게 되었다. 마키코의 집 같은 곳이 몇 군데나 더 생긴 것이다.

그러던 어느 날, 요코와 유카리와 어울린 나는 공사판 일을 한다는 고지의 아파트로 향했다. 고지는 요코의 선배였다. 지은 지 족히 오십 년은 되었을 것 같은 이층짜리 목조 아파트였다. 한가운데 복도가 있었고 그 복도 양쪽으로 세 집씩 다닥다닥 붙어 있었다.

일층의 가장 안쪽 오른편 집 문을 노크하자, 달깍 자물쇠 푸는 소리가 들리더니 판때기 문이 삐그덕 신음을 내며 열렸다. 잠을 자고 있었던지, 고지는 파자마 차림이었다. 문바로 앞에 발 디딜 틈도 없을 만큼 신발들이 어지럽게 흐트러져 있었다. 그 안쪽으로 한 칸짜리 방과 시늉뿐인 부엌이 이어졌다.

"고지, 들어가도 되지?"

"응."

"아, 얘는 미쓰요야. 나보다 한 살 위."

"그래?"

"잘 부탁합니다."

고지는 졸린 듯한 눈을 비벼가며 들어오라고 엄지손가락을 까딱했다.

방 안에는 까만 블라우스에 표범 무늬 타이트스커트를 입은, 열여덟 살 정도 되어 보이는 여자가 있었다.

'고지의 애인인가 봐. 둘이 함께 있는데 우리가 찾아와서 방해가 된 건 아닐까?'

나는 어색해서 한쪽 켠에 우두커니 서 있었다.

"나, 갈게."

여자가 우리를 흘깃 쩌려보며 집 밖으로 나갔다. 고지는 내다보지도 않고, 갑자기 내게 퉁명스럽게 물었다.

"담배 있어?"

"예?"

"담배 말야, 담배."

"저, 없는데……."

"미안하다만 좀 사다줄래? 마일드 세븐으로."

"그래."

그 자리에 있기도 서먹한 분위기여서 나가는 편이 좋겠다 싶어 나는 얼른 대답했다.

고지는 바지 호주머니에서 잔뜩 구겨진 천엔짜리 지폐를 꺼내 내게 건넸다. 나는 가게에서 직접 사지 못하고 한참 떨어진 곳에 있는 자동판매기에서 담배를 샀다.

아파트로 돌아오자 유카리와 고지가 다정하게 이야기를 나누고 있었다.

"여기, 담배."

사들고 온 마일드 세븐과 잔돈을 방 가운데 있던 탁자 위에 꺼내놓았다.

고지는 고맙다면서 담배 한 개비를 꺼내 불을 붙이고 맛있다는 듯이 빨았다.

'담배라는 게 그렇게 좋을까, 냄새가 지독하던데……'

골똘히 바라보는 내 시선이 느껴졌던지, 고지가 담뱃갑을 내게 툭 던지며 말했다.

"아, 미안. 사오기까지 했는데 권하지도 않고 나만 피웠네. 자기도 피워도 돼."

그 곁에서 요코도 유카리도 맛있다는 듯 담배를 피우고 있었다.

'이런 자리에서 어떻게 못 피운다고 한담. 좋아, 나도 한 번 피워보지, 뭘.'

어색한 손놀림으로 담배를 빼내 입에 물고 빨면서 라이터로 불을 붙였다.

'불이 붙었어. 나도 담배를 피울 수 있구나. 생각보다 간단하잖아.'

담배 연기를 깊숙이 빨아들이는 걸 알지 못했던 나는 그때 그렇게 생각했다.

그러나 유카리가 뻔히 다 안다는 듯이 말했다.

"너처럼 피우는 걸 뻐끔 담배라고 하지."

"뭐?"

"담배를 빨아들이지 않고 연기만 피우는 걸 뻐끔 담배라고 한단 말야."

"사실은 담배 피우는 거, 처음이야."

"나도 처음에는 되게 웃기게 폈다?"

그 말에 마음이 조금 편해졌다. 그리고는 담배를 제대로 피우려고 열심히 들이마셨다. 처음에는 속이 메슥거리고 머리가 어질어질했지만, 곧 폼나게 피울 수 있었다.

'이젠 나도 애들과 한 패가 된 거야……'

뭔가 나 자신이 한 단계 강해진 듯한 느낌이었다.

그렇게 아지트에서 아이들이랑 어울리는 게 즐거웠다. 그러다 보니 집에 들어가지 않는 날이 점점 많아졌다.

부끄럽다구?

그 무렵 며칠 동안 집에 들어가지 않고 다니다가 불심검문에 걸려 경찰서에 유치되었다. 걱정하던 어머니가 경찰에 신고했던 것이다. 취조 비슷한 것을 받고, 그날은 유치장에서 보내게 되었다. 저녁 무렵, 여자 유치장에 들어가자 여자애 하나가 한쪽 다리를 세운 포즈로 앉아 있었다. 물들인 머리는 뿌리 쪽부터 성큼 검은 머리가 자라났고, 손톱에 칠한 매니큐어도 군데군데 벗겨져 있었다.

"잘 부탁합니다."

조그만 소리로 인사하고 안으로 들어가 되도록 입구 가까운 곳에 오도카니 앉았다.

그 아이는 담당 경찰관의 모습이 사라지기를 기다렸다가 자기 옆으로 오라고 손짓했다. 나는 그 아이 곁으로 다가가 똑같이 한쪽 다리를 세운 포즈로 앉았다.

"무슨 일로 들어왔냐?"

"가출."

"가출? 그럼 바로 풀려날 거야."

"넌?"

"무면허. 진짜 재수 더러웠지, 뭐. 잘만 하면 그대로 토낄 수 있었는데."

"우아, 굉장하다. 뭘 운전했는데?"

"굉장하긴 뭘. 오토바이."

"면허 없이도 오토바이를 살 수 있어?"

"내 거 아냐."

"뭐?"

"헤헤, 훔친 거. 드라이버 하나만 있으면 식은 죽 먹기지."

그애는 대수로운 일도 아니라는 듯 오토바이며 자동차 훔치는 방법을 한참 설명하더니 말했다.

"나, 이제 새끼빵(소년원)에 갈 건데, 결국은 보감(보호감찰)으로 풀려날 거야. 나오면 함께 놀자."

"좋아, 어디서 만날까?"

"그렇지, 너네 아지트 어디냐?"

"마키코 언니네도 다니고, 고지 오빠네도……."

"고지 오빠라니, 저 윗동네 사는 고지?"

"그래, 너도 알아?"

"내 친구 중에 요코라는 애가 있는데……."

"어머, 요코는 나도 알아."

"진짜?"

"응."

"난 유키에야."

"난 미쓰요."

그때서야 비로소 이름을 밝혔다.

그곳에서는 자신의 이름을 밝히는 것보다 어떤 나쁜 짓을 했는지 자랑하는 것이 먼저였다.

'이렇게 친구가 생기는 거구나. 그래, 어떤 애라도 좋아. 같이 놀 수 있는 친구라면……'

그런 생각을 하며 나는 유키에와 재회를 약속했다.

그러나 그후 유키에와는 다시 만나지 못했다. 나중에 들려온 소문으로는 취조에서 절도 사실이 발각되는 바람에 소년교도소로 호송되었다는 것이었다.

다음날, 어머니가 나를 데리러 왔다. 경찰서를 나올 때 형사에게 한바탕 설교를 들었다.

"다시는 가출 같은 거 하면 안 된다."

"네……"

나는 건성으로 대답했다.

집에 돌아오자마자, 나는 어머니에게 욕을 퍼부었다.

"엄마가 쓸데없는 짓을 하는 바람에 유치장 신세까지 졌잖아!"

"무슨 소릴 하니?"

"쓸데없는 짓 좀 하지 말란 말야. 신고는 왜 해가지고 이 난리야, 난리가."

"네가 며칠씩이나 집에 안 들어오니까 걱정이 돼서……"

"시끄러워!"

"학교에도 통 안 나가고 정말 어쩌려고 그러니?"

"학교는 무슨 얼어죽을 놈의 학교!"

"아직 중학교 3학년밖에 안 됐는데, 어쩌려고……."

"학교 가면 어떤 줄이나 알아? 어떤 줄이나 아냐구? 아무 것도 모르는 주제에."

"뭐가 어떤데 그래?"

"다 엄마 때문이야! 엄마 책임이야!"

나는 어머니에게 침을 뱉었다. 그리고는 어머니에게 불같이 달려들었다.

"늙어빠져가지고, 정말 지겨워, 지겨워!"

나는 어머니의 머리칼을 움켜쥐고 그 자리에 넘어뜨렸다. 그리고 마구 발로 찼다.

"얘가 왜 이러니? 얘, 미쓰요, 왜 이러니……."

어머니는 울면서 그저 애원만 했다. 나는 그런 어머니에게 더 심하게 폭력을 휘둘렀다.

나를 이해하려고 하기보다는 그저 울기만 하는 어머니, 그런 주제에 딸이야 어떻게 되건 말건 세상 이목에만 신경을 쓰고 체면만 따지는 인간, 그런 생각에 나는 폭발하고 말았다. 치미는 울화를 견딜 수 없었다. 어머니는 맞아도 된다고 생각했다.

이따금 심심하면 학교에 갔다. 간혹 교실에 얼굴을 내밀 때도 있었지만, 대부분은 양호실에서 빈둥거리며 보냈다.

고등학교 입시를 앞둔 중학교 3학년, 모두들 수험 준비로 바쁜 모양이었다.

"나, 꼭 이 고등학교에 갈 거야."

"왜?"

"교복이 너무 멋있잖니."

"네 머리로는 어려울 거다."

"아우, 어떻게 그렇게 심한 말을."

재미있는 이야기들이 여기저기에서 들려왔다.

애당초 입시 대열에서는 탈락한 셈이니, 나는 그저 나 좋을 대로 지냈다. 머리를 노랗게 물들이고, 담배를 피우고, 금지된 자전거 통학을 하고, 불량한 친구들의 아지트에 들락거렸다.

그러나 그렇게 사는 게 좋다고 생각한 건 아니었다. 다시 되돌릴 수만 있다면 고등학교에 진학하고 싶은 마음이 간절했다. 그러나 학교 성적이 너무나 떨어져서 고등학교 시험은 무리였다.

어떻게 하면 좋을지 몰라 골똘히 고민하기도 했다. 그 무렵 항상 다니던 미장원이 있었는데, 그곳은 담당제였다. 내 담당은 가가와 현 출신의 스물다섯 살 난 언니였다. 우리 외할머니네도 원래 그쪽 지방 출신이어서인지 그 언니와는 얘기가 잘 통했다.

"나, 중학교 3학년이잖아. 진로를 어떻게 정할까 걱정이야."

"고등학교에는 못 가니?"

"성적도 안 좋고, 내신도 엉망이라 안 돼."

"앞으로 무슨 일을 하고 싶은데?"

"글쎄, 특별히 하고 싶은 게 없어. 언니는, 언제부터 미용
사가 되기로 마음먹었어?"

"중학생 때던가?"

"왜 미용사가 될 생각을 했어?"

"난 어릴 때부터 남을 예쁘게 치장해주는 게 좋더라. 그리
고 뭐가 됐든 기술 하나 가지고 있으면 든든하잖니."

나는 생기 있게 살아가는 언니에게 마음이 이끌렸다.

'든든한 기술…… 미용사도 괜찮구나. 그래, 나도 미용사
가 되자.'

나는 미용사가 되어 새 출발을 하기로 마음먹고 미용학교
수험 준비를 했다. 고등학교 수험 준비처럼 힘든 것은 아니
었지만, 나름대로 열심히 공부했다. 접힌 데 하나 없이 빳빳
한 새 참고서를 펼쳐들고 처음부터 꼼꼼하게 읽으며 준비했
다.

그리고 그해 미용학교 입학시험에 합격했다. 너무 좋아서
곧장 담임 선생에게 알리려고 합격 통지서를 움켜쥐고 학교
로 달려갔다.

교무실 문을 열고 들여다보자, 담임 선생이 나를 알아보

고 밖으로 나왔다.

나는 합격 통지서를 내밀며 입을 열었다.

"선생님, 저……."

그러자 담임 선생이 내 말을 막으며 꾸짖었다.

"뭐야, 그 머리 꼴이. 그런 꼬락서니로는 어딜 가도 앞날이 뻔해."

그리고는 내가 내민 합격 통지서에 대해 한마디 말도 없이 기분 나쁘다는 듯이 교실 쪽으로 가버렸다.

'지금까지 선생님에게 대들기만 해서 이참에 용서를 빌려고 합격 통지서 받자마자 달려왔는데…….'

참으로 염치없는 생각인지 모르지만, 그때 나는 단 한마디라도 좋으니 이런 말이 듣고 싶었다.

"축하한다, 열심히 해라."

그랬다. 그 길로 집에 돌아가 노랗게 물들인 머리도 다시 검은 머리로 염색할 작정이었다.

그러나 내가 내민 합격 통지서를 받아들지도 않고, 너 따위가 어디에 합격했건 내 알 바 아니라는 듯한 선생님의 태도에 나는 이제 완전히 내버려진 듯한 심정이었다.

'이제 아무리 노력해도 소용없어…… 난 이제 무슨 말을 해도 소용없어…….'

나는 모든 게 다 귀찮고 싫어졌다.

나는 담임 선생의 뒷모습을 바라보며 굳게 맹세했다. 저 사람을 이젠 두 번 다시 선생님이라고 부르지 않겠다고.

집에 돌아오니 어머니가 물었다.

"어땠니?"

어머니도 발표날이라는 것을 알고 있었다. 나는 꾸깃꾸깃해진 합격 통지서를 내주었다.

"합격했구나."

"………."

"잘했다. 잘했어."

"………."

"근데 고등학교도 못 가고 미용학교에 가게 된 걸 시골 어른들에게 어떻게 설명해야 좋을지……."

어머니는 내가 고등학교에 가지 못하는 게 어지간히 마음에 걸리는 모양이었다. 그리고 그걸 친척들에게 뭐라고 설명해야 할지 벌써부터 걱정하고 있었다.

"엄마, 그렇게 창피해?"

"뭐?"

"그렇게 창피하냐구."

"그게 아니고……."

"그게 아니면 뭐야?"

"………."

어머니는 할말이 없었던지 그냥 입을 다물고 고개를 떨구었다. 그런 어머니의 모습을 보고 있자니, 마음속에서 분노가 끓어올랐다.

'엄마가 그렇게도 소중하게 생각하는 세상 이목이라는 거, 그 벌벌 떠는 체면이라는 거, 그거 내가 다 때려부셔버릴 거야, 내가 다 팽개쳐버릴 거라구…….'

나는 그 길로 집을 뛰쳐나왔다.

4

밑바닥

이제 그 누구도 믿지 않아

나는 마치 내리막길을 굴러 내려가듯 전락해갔다. 애써 입학한 미용학교도 중간에 그만두고, 아지트에서 친구들과 빈둥거리면서 하루하루를 보냈다.

폭주족 아지트. 그저 시늉뿐인 부엌에, 몇 명의 남녀가 오밀조밀 모여드는 좁은 단칸방. 그곳에는 언제나 담배와 신나 냄새가 자욱했다.

요코와 함께 찾아든 어떤 아지트에서 완전히 발가벗은 채

자고 있는 남녀를 보았다. 현관문도 잠그지 않은 채.

봐서는 안 될 것을 보고 만 것 같아 바로 그곳에서 나오려는데 요코가 내 팔을 붙잡았다.

"신경 쓸 거 없어. 애들 항상 이러는걸 뭐."

부스스 일어난 남녀는 부끄러워하지도 않았다. 남자애는 그대로 벌렁 누운 채로, 여자애는 벗은 몸을 일으키고 앉아 담배를 찾아 물고 맛있게 피웠다.

그리고 나를 바라보며 태연하게 말을 붙여왔다.

"자기, 처음 보는 얼굴이다."

나는 눈을 어디에 둘지 몰라 허둥거리며 인사했다.

"안녕?"

여자애가 방 한켠을 손가락질하며 말했다.

"저기 있는 '비닐 빵', 너희 마셔도 돼. 내가 인심 썼다. 저거 순도 100퍼센트짜리야. 저거 먹고 뿅 가설랑 남자하고 붙으면 정말 기분 째진다."

그러면서 남자애와 얼굴을 마주 보며 히죽히죽 웃었다.

요코도 웃고 있었다.

'비닐 빵? 신나를 넣은 비닐 봉투? 순도 100퍼센트라구? 그럼 지금 신나를 흡입하고서 둘이…… 너무 심한 거 아냐?'

누구라도 처음에는 그렇게 생각한다. 나도 처음에는 그랬다. 그러나 아지트에 들락거리면서 그런 광경을 자주 목격하다 보면 머릿속이 마비되고, 어느샌가 아무렇지도 않게 여겨

102

진다. 그러다가 결국엔 당연한 일로 받아들이게 된다.

'이런 곳에 들락거리면 머릿속이 이상해져……'

그런 위기감이 들었지만, 아지트 출입을 포기하지 않았다. 다시 외톨이가 되기는 싫었다…… 누구라도 좋았다. 친구라고 부를 수 있는 아이가 필요했다…… 내가 있을 곳이 필요했다…….

오토바이 타는 법, 자동차 운전하는 법도 배웠다.

한밤중에 폭주족 친구들이 운전하는 자동차를 타고 드라이브를 나가곤 했다. 신고라는 남자애가 운전하는 마크Ⅱ의 조수석에 탔다. 신고는 열아홉 살, 일정한 직업 없이 이따금 집에 들어가 어머니에게서 용돈을 뜯어오는 모양이었다. 어머니란 돈을 뜯어내기 위해 있는 존재라고, 신고는 말했다. 자동차도 어머니 것이었다.

"그 여자도 자기 좋을 대로 사는 사람이라, 나한테 이러쿵저러쿵 잔소리할 형편이 못 돼."

그의 어머니에 대해, 신고에게서 처음이자 마지막으로 들은 말이었다. 신고는 그 이후 자기 가족에 대한 말을 한마디도 내비치지 않았다.

—아버지는 없는 걸까?

궁금했지만 물어보지 않았다. 누구에게든 말하고 싶지 않은 것들이 한 가지씩은 있었다.

화제를 바꾸려고 나는 자동차 운전에 대해 물어보았다.

"운전하는 거 어렵니?"

"별로. 어려울 거 하나도 없어."

"면허는 언제 딴 거야?"

"면허? 없어. 무면허."

"뭐라구? 그럼 다른 애들도 다 무면허?"

"아냐, 다른 놈들은 쯩 있어."

"근데 넌 왜 안 따?"

"그럴 돈이 없거든."

"그래?"

"핸들 한번 잡아볼래?"

"뭐?"

"운전해볼 거냐구."

"그치만 면허 없이 어떻게 운전을 해?"

"면허 같은 게 무슨 상관이냐, 운전만 잘하면 되지."

신고는 도로 한켠에 차를 세우고 내리며 말했다.

"자리 바꾸자. 운전석에 앉아봐."

나는 운전석으로 옮겨 앉았다.

처음으로 앉아보는 운전석. 키가 178센티인 신고에 맞춰진 운전석에 앉으니, 핸들이 눈앞을 막아 앞을 내다보기도 힘들었다. 155센티밖에 안 되는 내 키에는 모든 게 맞지 않았다. 다리도 페달에 닿지 않아서, 방석을 두 개씩이나 등과

엉덩이 밑에 깔고 좌석을 조정했다. 브레이크를 밟으면서 기어를 뉴트럴에서 드라이브로 넣고, 사이드 브레이크를 풀고 액셀을 밟자, 차가 앞으로 미끄러져 나갔다.

'움직인다, 움직여. 진짜 간단하네……'

그때까지 조수석에 앉아 운전하는 것을 눈여겨보아왔기 때문에, 신고가 가르쳐주지 않아도 대충은 알고 있었다. 그때부터 신고에게 차를 빌려 매일 한밤중에 사람들이 다니지 않는 길이나 항구의 창고 근처에서 운전 연습을 했다.

그러나 운전이 점점 익숙해질수록 불안도 커져갔다.

'이대로 가다가는 국도까지 나가게 될 거야. 애들 앞에서 폼 잡으려고 무리하게 잘하는 척하게 될 거고. 그러다 큰 사고를 내게 되겠지? 애매한 사람들을 다치게 하면, 혹시 죽이게 되면 어떻게 하지? 그럼 난 끝장이야…… 이제 이쯤에서 그만둬야 해…… 그치만 그만둔다는 말을 어떻게 하지? 그렇지, 운전에 영 소질이 없는 척하면 돼. 그래…… 어디서 적당히 한번 박아버리자……'

나는 자동차를 전신주에 가볍게 들이박았다. 자동차에 흠집은 나지 않았지만, 신고는 펄펄 뛰며 소리를 질렀다.

"애가 왜 이래? 진짜 운전 못하네. 이제 넌 운전할 생각 아예 하지도 마."

다행이다 싶으면서도 나 자신에게 화가 났다.

'모든 걸 다 팽개치고 철저하게 악에 물들 수 있으면 차라

리 편할 텐데…… 난 무얼 하든 이런 식이야. 어중간한 칠뜨기야…….'

나쁜 짓을 하면서도, 마음 한켠으로는 '사고라도 일으키면 어쩌나, 사람들을 다치게 하면 어쩌나' 라고 전전긍긍하는 나 자신이 역겨웠다.

그러던 어느 날, 고지가 죽었다. 처음으로 내게 담배를 권한 사람, 그가 오토바이 사고로 죽었다. 남자애 둘이서 오토바이에 타고 가다가 커브에서 뒤집혔는데, 뒤에 타고 있던 고지가 튕겨나가 그 자리에서 즉사했다고 했다. 며칠 후, 친구들끼리 고지의 장례 모임을 갖기로 했다.

제가끔 마실 것과 먹을 것을 챙겨들고, 고지가 세들어 살던 아파트에 모였다. 그곳에는 고지의 짝패였던 후미히코라는 애가 들어와 살고 있었다. 나는 저녁 아홉시쯤 맥주를 들고 그곳을 찾았다.

먼저 와 있던 유카리는 눈이 발갛게 부어 있었다.

'유카리, 고지를 좋아했었구나.'

그렇게 생각했지만, 너무 가엾어서 아무런 말도 해주지 못했다. 그런데 술이 취할수록 유카리가 자꾸만 내게 시비를 걸기 시작했다.

"어이, 거기."

"응, 나?"

"그래, 미쓰요 너, 세상 참 불공평하다는 생각 안 드니?"

"그래, 불공평해."

"정말 그렇게 생각해?"

"응, 그렇게 생각해."

"정말?"

"응."

"그렇담 네가 죽었어야 하는 거 아냐?"

"뭐?"

"너 중학교 2학년 때 배를 푹푹 쑤셨대매?"

유카리가 그 일을 알고 있었다는 것을, 나는 그때 처음 알았다. 아무 대답도 하지 못하고 입을 다물고 있는 나를 유카리는 점점 더 휘감고 비비 꼬았다.

"고지는 돈 벌어서 미국에 가는 게 꿈이었어. 그래서 그렇게 힘든 공사장 일도 꾹 참아가며 고생을 했는데, 어째서 걔가 죽어야 하는 거야?"

"유카리……."

"어째서냐구…… 어째서 고지가 죽어야 했냐구."

"고지가 그렇게 된 거, 나도 정말 속이 상해."

"네가 진심으로 그런 맘이 있었다면, 고지랑 바꿔줬어야지. 죽고 싶지 않은 고지는 죽어버리고, 죽고 싶어하는 너는 어째서 지금 이렇게 멀쩡하게 살아 있냔 말이야!"

"유카리, 난 널 진짜 친구라고 생각했는데, 어떻게 그런 섭섭한 소리를 하니?"

"친구? 친구 좋아하시네. 누가 널 친구라고 생각한다든?
여기 왔다갔다하는 애들 중에 널 친구라고 생각하는 애가
하나라도 있는 줄 알아? 내가 다 얘기해줄까?"

유카리는 내뱉어버리듯이 말을 이었다.

"너, 두세 달 전에 요시오한테 정맥주사 놔달라고 부탁한
적 있었지?"

'그래, 그런 일이 있었어……'

요시오는 도장공 일을 하는 열아홉 살 난 남자애였다. 군
데군데 구멍이 뚫린 쥐색 작업복을 한 번도 갈아입지 않는,
웃으면 부러진 앞니가 보이는 남자애였다. 그 집은 언제나
열쇠가 잠겨 있지 않았고, 우리가 단골로 다니던 게임 센터
바로 근처이기도 해서 유카리네랑 이따금 들락거렸다. 두세
달 전에도 유카리를 찾으러 그 아파트에 갔었다. 방 안에는
요시오와 스무 살 정도 되어 보이는 두 여자가 있었다. 사치
코와 메구미라는 여자였다. 사치코는 허리까지 길러 내린
지푸라기 같은 머리를 어깨 근처에서 하나로 묶고 있었고,
메구미는 퍼머한 짧게 자른 머리에 보라색 브리지를 군데군
데 넣었다. 요시오처럼 여러 개가 부러진 것은 아니지만, 두
사람도 똑같이 앞니가 동강나 있었다.

"유카리 여기 안 왔어요?"

유카리를 찾으며 방에 들어서는 내 눈에 이상한 광경이 들어왔다.

'마약이다! 텔레비전에서 본 적이 있는 그거······.'

나는 쭈뼛거리면서도 곁으로 다가갔다. 그리고 어떻게 하는지 뚫어지게 바라보았다.

요시오는 포장지 팩 안에 든 마약을 귀이개로 아주 조금 퍼내 은숟가락에 담고는 물을 조금 넣었다. 그리고는 라이터 불로 그 숟가락 밑을 달구었다. 마약이 녹아서 물에 섞이자 그걸 주사기로 빨아올렸다.

나는 나도 모르게 말했다.

"나도 좀 놔주세요."

'어차피 죽지도 못한 인생, 될 대로 되라지. 게다가 이 사람들하고 친구가 될 수 있는 좋은 기회야.'

그런 생각이 들었다. 그러나 요시오는 나를 거들떠보지도 않고 고개를 저었다.

"안 돼, 넌 관둬."

주사바늘 흔적이 무수히 많은 사치코의 두 팔이 눈에 들어왔다. 어떤 것들은 벌써 딱지가 앉고 있었다.

요시오는 익숙한 손놀림으로 사치코의 왼팔에 주사기 바늘을 찔렀다. 반 정도를 주사하고는 바늘을 빼며 메구미에게 물었다.

"할래?"

"오늘은 안 할래."

"웬일이냐? 네가 사양을 다 하고……."

"지난번에 그거 맞고 속이 안 좋아서 정말 반 죽었다 살아 났어."

"지난번 물건은 잡티가 많이 섞였었어. 도오루한테 받아 오는 물건은 유난히 잡티가 많더라고. 그 새끼, 팩에 다른 가루 퍼넣어서 적당히 양을 늘려갖고 제 용돈 벌자는 수작 이지. 다음에 만나면 반 쥑여놔야지."

요시오는 남은 주사액을 자기 왼팔에 꽂아넣었다.

나는 처음 보는 특이한 광경에 빨려들어 세 사람의 모습 을 잡아먹을 듯이 바라보고 있었다.

그때 요시오가 내게 손짓하며 말했다.

"자기, 볼일 끝났으면 이제 가봐. 이런 곳에 있으면 안 돼."

'마약 같은 것에 손대지 말라고, 나를 걱정해주는구나.'

그걸 나는 그저 그렇게 좋은 쪽으로 해석했었다.

"응, 요시오가 관두라고 해서 못 맞았어. 내가 걱정되었는 지 아무튼 정맥주사는 맞지 말라고 하더라."

"뭐, 너를 걱정해서? 얘가 무슨 귀신 씨나락 까먹는 소릴 하고 있어? 내가 요시오한테 직접 들은 말이 있어. 그때 요 시오가 너를 말린 건 너처럼 머리가 살짝 간 애한테 그런 걸 놔줬다가 괜히 죽인다고 덤빌까 봐서, 정말 정신이 확 가서

칼 들고 날뛸까 봐, 그래서 안 놔준 거라더라. 누가 너 같은
애 따위를 걱정해준대?"

나는 내 귀를 의심했다.

"그게 무슨 말이야?"

"다들 뭐라고 하는 줄 아니?"

"무얼 뭐라고 해……?"

"싸우다가 남을 칼로 찌르는 거, 그거라면 괜찮아. 너처럼
제 손으로 제 배를 찌르는 건 진짜 정신이 어떻게 된 거라
고, 다들 그래. 처음부터 질이 다르다는 거야, 넌."

"………."

'내가 정말 정신이 이상한 인간인 걸까? 애들이 말하는
대로……? 아냐, 그럴 리가 없어. 나는 왕따를 당해서 괴로
웠던 것뿐이야, 정말 너무 억울하고 분했어, 고통스러워서
견딜 수가 없었어…… 그걸 그애들에게 깨닫게 해주려고 할
복했던 것뿐이야.'

"친구가 아니었다구……?"

"친구? 홍, 무슨 소릴 하는 거야, 애가 지금. 우린 그런 짓
은 절대로 안 해. 넌 첨부터 질이 다르다니까, 우리하고는."

"그렇담 내가 상대 애들을 칼로 찔렀어야 옳았니?"

"그렇지, 우리 같으면 상대를 찌를 거야. 그게 정상이야.
그러면 우리하고도 친구가 될 수 있지."

"………."

나는 도망치듯이 그 집에서 나왔다. 그리고 발길 가는 대로 아무렇게나 걸었다. 걸으면서 생각했다.

'이제까지 왕따를 당하고 배신을 당하고 끔찍하게 괴로운 일들을 당하면서도, 나는 마음속 어딘가에서 여전히 인간을 믿으려고 해왔어. 어릴 때부터 남을 믿으며 살아야 한다고 배워왔기 때문이야. 그치만, 그치만, 이젠 그럴 수가 없어, 그럴 수가…….'

그때 내 마음속에서 무언가가 무너졌다.

'이제 그 누구도 믿지 않아…… 절대로 믿지 않아. 믿지 않을 거야.'

그날 나는 그렇게 결심했다.

바다 없는 늪

나는 황폐해질 대로 황폐해졌다.

이따금 집에 돌아가 어머니가 조금씩 모아둔 돈을 뜯어냈다. 그리고 저항하지도 않는 어머니를 때리고 발로 찼다. 아무 이유도 없었다.

"도대체 어쩌려고 이러니……."

"시끄러워. 엄마 책임이야. 다 엄마가 잘못해서 이렇게 된 거라구!"

"제발 부탁이다. 이제 그러지 마라."

"잔소리 마."

"그러면 안 돼."

"다 엄마가 잘못해서 이렇게 된 거라구! 왜 날 낳았어, 왜!"

"제발…… 그러면 안 돼."

어머니는 엎드려서 흐느껴 울었다. 우는 어머니의 얼굴을 보며 마음이 편할 리가 없었다. 나도 좋아서 어머니를 괴롭히는 건 아니었다. 나 자신을 억누를 수가 없었다. 둘 데 없는 분노를 모조리 어머니에게 풀었다.

이제 허리가 완전히 굽어버린 외할머니가 울면서 말렸다.

"미쓰요, 그러면 못써……."

그렇게 좋아하던 외할머니의 말조차 내 귀에 와닿지 않았다.

아버지가 없을 때를 노려서 집에 들어갔고, 갈 때마다 집 안을 엉망진창으로 때려부수고 뛰쳐나왔다. 비겁자, 정말 나는 비겁한 인간이었다. 어머니에게서 뜯어낸 돈으로 놀아대던 나는 마침내 폭력조직과도 관계를 가지게 되었다.

'어디에 가도 나를 받아주는 데가 없어. 난 친구가 필요해. 외톨이는 정말 싫어. 내가 있을 곳이 필요해…….'

그런 마음이 간절하던 내가 가닿은 곳은 조직폭력의 세계였다. 그리고 정신을 차렸을 때에는 폭력조직 보스의 아내가 되어 있었다.

  아무리 보스의 아내라지만, 기껏 열여섯 살밖에 되지 않은 나를 조직 사람들이 그대로 받아들여줄 리가 없었다.

  "아직 젖덩이가 왜 여기 와서 얼씬거리고 그래."

  "어린애는 좀 치우지, 감히 여기가 어디라고."

  "집에 가서 에미 젖이나 좀더 먹고 오지."

  "일찌감치 샛길로 빠진 가시내구만."

  "그 방석에 앉지 말고 그냥 바닥에 앉아."

  그곳은 사오십대가 젊은 축에 속하는 성인들의 세계였다. 그런 곳에 느닷없이 열여섯 살짜리 어린 계집애가 형수님 행세를 하고 앉아 있는 게 눈에 거슬렸을 것이다. 노골적으로 그런 야유가 귀에 들어왔다. 그러나 나는 내가 자리잡을 곳이 간절했다. 어떻게든 인정을 받고 싶었다.

  '인정받기 위해서는 이 사람들과 똑같이 행동해야 해⋯⋯.'

  나는 그 세계에서 버텨내기 위해 그들처럼 등에 문신을 새기기로 마음먹었다. 문신사에게 상의했더니, 아직 미성년이라 부모의 도장이 필요하다고 했다. 물론 부모가 승낙하면 괜찮고 그렇지 않으면 안 된다는 법적인 조항 따위가 있을 리는 없었지만, 조직세계에 그런 형식이 남아 있었다. 나는 오래간만에 집에 갔다.

아버지와 어머니가 식사를 하고 있었다. 어머니는 내 얼굴을 보자마자 겁에 잔뜩 질린 표정이었다.

나는 종이를 내밀며 말했다.

"문신을 새겨야 하니까, 도장을 찍어줘요."

아버지는 고개를 숙인 채 아무 말도 하지 않았다. 어머니는 이제 눈물도 말라버렸는지 그저 멍하니 앉아 있었다.

제멋대로 날뛰고 돌아다니는 나를 어떻게 해야 할지, 아버지 어머니도 도무지 알 수 없었던 것이리라.

그러나 나는 그 모습에 화가 치밀었다.

'딸이 이렇게 엄청난 짓을 저지른다는데, 꾸짖지도 못해?'

엉뚱한 생각이 들었다. 나는 그저 입을 다물고 앉아 있는 아버지를 발로 찼다. 이래도, 이래도 가만 있을 거냐는 듯이……

"얘, 왜 이러니? 왜 이래? 그러면 안 돼. 제발 그러지 마라……"

그날 울면서 부르짖던 어머니의 목소리가 지금도 귀에 쟁쟁하다.

실컷 난리를 피우고는 이층 안방에 올라가 서랍에서 인감을 꺼내 내 손으로 도장을 찍었다.

일층에 내려온 내 눈에, 엎드려 웅크리고 있는 아버지의 등을 어머니가 다독거리며 울고 있는 모습이 보였다. 아마도 그날 아버지는 그렇게 웅크린 채 속울음을 울고 있었으리라.

그러나 그걸 본 나는 더욱 화가 끓어올라 어머니의 등허리를 발로 걷어차며 소리쳤다.

"봐, 내가 찍었어. 그래도 명색이 부모라고 당신들 도장이 없으면 나만 괜히 피를 본단 말야!"

그런 말을 내뱉고 나는 집을 나왔다.

'어째서, 어째서 이렇게 지독한 짓을 하는데도 꾸짖지 않는 거야…… 나 같은 건 이제 어떻게 되든 상관없다는 거지? 어떻게 되든 말든…….'

나는 꾸짖어주기를 바랐다. 진심으로 나와 맞대면해주기를 바랐다. 그러나 부모님은 한 번도 나를 꾸짖지 않았다.

내가 선택한 문양은 두 마리 뱀이 관음상을 휘감고 있는 것이었다.

문신사는 나무젓가락만한 굵기의 막대기 끝에 다발로 꽂힌 수십 개의 바늘로 등허리 살가죽을 벗겨낼 것처럼 찔러댔다. 아팠다…… 커터나이프로 북북 그어대는 것 같은 통증이었다. 차라리 죽는 게 나을 것만 같은 반죽음 상태가 끝도 없이 이어졌다.

이를 악물고 참는 바람에 이빨이 엇갈려버릴 정도였다.

반듯하게 드러누우면 투명한 액체(침출액)로 이불깃이 더

116

러워졌다. 38도 가까이 올라가는 고열에 시달렸고, 위장까지 아파왔다. 각혈을 해서 병원에 가보니 위궤양이라고 했다. 그만두고 싶은 마음이 수없이 일었다.

그러나 "역시 젖덩이는 별수 없어. 그쯤에서 두손 두발 다 들었구만"이라는 말만은 듣고 싶지 않았다. 내가 있을 곳은 여기밖에 없다고…… 나는 이를 악물고 견뎠다.

어떻게든 동료로서 인정받고 싶었던 조직세계에 대해 나는 닥치는 대로 배워나갔다. 그렇게 악의 길로 점점 더 깊이 빠져들어갔다.

왕따로 고통받았던 내가, 부모에게 죽고 싶을 정도의 끔찍한 괴로움을 안기고, 나와 아무런 관계도 없는 사람들까지 괴롭히는 쪽으로 나아간 것이었다.

할머니의 죽음

1986년 6월, 외할머니가 여든두 살 나이로 돌아가셨다. 노환이라고 들었다. 밑바닥 생활에 빠져 있던 나는 외할머니의 임종도 지키지 못했다.

그날 아침 여덟시 조금 지날 무렵에, 사촌언니에게서 전화가 왔다. 열한 살 터울이 지는 사촌언니는 내게는 큰언니 같은 존재였다. 당시의 내 상황을 알고 있는 친척들은 모두 내 근처에도 오지 않으려고 했지만, 그 언니만은 나를 그런 눈으로 보지 않았다.

"미쓰요, 할머니가······."

사촌언니는 전화선 저편에서 울고 있었다.

"언니, 왜 그래?"

"할머니가······."

"할머니가 어쨌다고?"

"할머니가······ 돌아가셨어."

"정말이야······."

나는 서둘러 집으로 향했다.

도착했을 때는 벌써 제단 준비도 끝나고, 외할머니의 얼굴에는 하얀 천이 덮여 있었다. 어머니는 울어서 눈이 퉁퉁 부어 있었다.

내가 오는 것을 본 어머니가 가만히 다가와 조그만 목소리로 말했다.

"할머니는 몸져누워서 일어나지 못할 때까지도 줄곧 네 얘기만 하셨어."

"·········"

"할 수만 있다면 차라리 할머니가 대신 거기로 가고 너는 집에 데려올 수 있으면 좋겠다고······."

"………."

"입버릇처럼 항상 너랑 바꾸고 싶다고……."

"………."

외할머니는 돌아가시기 직전까지 내 걱정을 하셨던 것이
다.

'할머니…….'

나는 제단 앞에 합장하고 서서 머리를 숙였다. 어린 시절
의 일들이 떠올랐다.

아버지 어머니가 회사에 나갔기 때문에, 나는 외할머니와
함께 지낸 시간이 더 많았다. 참으로 많은 것들을 외할머니
에게서 배웠다. 외할아버지가 일찍 돌아가시는 바람에 조랑
조랑 아직 어린 아이들을 안고 고생하던 시절 이야기, 과자
만드는 법, 꽃 가꾸는 법, 속담…… 외할머니는 무엇이든 다
알고 계셨다. 그런 외할머니를 나는 어릴 때부터 진심으로
존경했었다.

"할머니, 할머닌 뭐든지 다 알아. 정말 굉장해."

"알기는, 할미가 뭘 알겠니. 할미도 아직 모르는 게 너무
많아."

"정말로?"

"정말이지. 미쓰요도 앞으로 무슨 일에건 흥미를 가지고
열심히 공부해야 한다."

"응, 공부할 거야. 그래서 할머니처럼 박사가 될 거야."

"그래, 정말 그럴 거지?"

외할머니는, 공부가 무엇인지도 모르면서 무조건 그렇게 대답하는 내 머리를 다정하게 쓰다듬어주었다. 할머니 손을 잡고 자주 갔었던 성묘길. 양동이에 물을 길어 산소까지 들고 가는 것이 내 임무였다. 도중에 물을 엎지르고 울먹이는 내 눈물을 할머니는 다정하게 훔쳐주었다.

"괜찮니? 조심해야지."

할머니의 따뜻한 손길에 당장 기분이 풀어져서 산소에 올린 과자 하나 받아들고 좋아하던 어린 내가 보고 싶었다.

집안 불단에 매일 밥을 올리는 일도 곧잘 거들었다. 젯밥이 다 되면, 외할머니는 "밥 다 되었네"라고 일부러 나를 불렀다.

"할아버지께 먼저 올려야지?"

"그렇지, 아이구, 똑똑하기도 하다. 잘 올릴 수 있겠어?"

"응, 나한테 맡겨."

"밥을 소복하게 담아야 해. 그래야 네 얼굴이 미인이 되는 거야."

"응."

나는 갓 지은 밥을 주걱으로 조금씩 떠서 불단에 놓을 밥그릇에 높직이 담았다.

"외할아버지, 진지 드세요."

할아버지에게 젯밥을 올린 후 방울을 울리고 합장하던 조그만 손, 그 무구한 손은 이제 내게 없었다.

'할머니가 돌아가셨어…… 마지막까지 내 걱정을 하면서…… 할머니…… 죄송해요…… 정말 죄송해요…….'

그러나 후회를 해도 이미 너무…… 늦었다…….

내가 자리잡고 살 곳이 그리워 조직세계에 들어갔지만, 결국 그곳에도 내가 있을 자리는 없었다. 인간의 갖가지 더러움을 다 겪으면서, 나는 몸도 마음도 넝마처럼 너덜너덜해졌다. 세상 모든 것이 지겨워져서 남편과도 이혼했다.

그후에도 여전히 내 생활은 굴러떨어질 대로 떨어진 채 나는 썩어들어갔다. 날이면 날마다 술에 절어 하루하루를 보냈다.

"왜 그때 죽지 못했을까…… 이렇게 살아 뭘 하려고."

술에 취한 내 입에서는 그런 넋두리가 절로 나왔다.

5
전환점

우연

　이혼한 후, 클럽에서 호스티스로 일했다. 1988년 봄, 내가 일하던 기타신치 클럽에서 우연히 한 사람을 만났다. 아버지의 친구였던 오히라 히로사부로(大平浩三郎) 씨였다. 내 나이 스물두 살 때의 일이었다.

　기타신치 클럽. 그랜드 피아노에 호사스런 장식, 값비싼 그림들이 곳곳에 아무렇지도 않게 걸려 있는, 잠깐 들어가 앉았다가 일어서기만 해도 한 사람당 몇만 엔씩을 지불해야 하는 고급 술집이었다. 당시 거품 경기가 한창이던 때라 어떤 클럽이든 장사가 잘되었다.

오히라 씨는 거래처 사람을 접대하기 위해 클럽을 찾았다. 여섯 명의 일행이 가게에 들어오는 순간 나는 곧바로 아저씨를 알아보았다.

'오히라 아저씨……'

금복주 상을 연상케 하는 커다란 귓불과 남의 마음을 꿰뚫는 것 같은 예리한 눈빛. 그 강렬한 눈빛에도 불구하고 언제나 따뜻함이 느껴지는 인상이었다.

내가 어릴 때부터 아저씨 아저씨 하며 졸졸 따라다녔던 분이었다. 유치원에도 들어가기 전이니까, 내가 아주 어렸을 때부터 그분과 인연이 있었던 셈이다. 오히라 씨는 설비 공사 업자인데, 전기공사 일을 하던 아버지와 사업 관계로 잘 알고 지내는 사이여서, 우리 집에도 자주 와서 함께 식사를 하며 세상 돌아가는 일이나 사업에 대한 이야기를 나누곤 했었다.

어린 나는 오히라 씨의 무릎에서 잠이 들어 아저씨 바지에 침으로 지도를 그린 적도 있었다. 어린 마음에도 내가 무안해하자, 오히라 씨는 평소의 다정한 얼굴 그대로 머리를 쓰다듬어주었다.

"괜찮아, 괜찮아."

그리고는 만날 때마다 꼭 해주던 말.

"미쓰요는 정말로 바르고 착한 애야."

아저씨의 그 말은 언제나 날 기쁘게 했다.

동네 구멍가게에도 곧잘 데려가주던 분이었다.

"무엇이든 네가 좋아하는 걸 골라봐. 아저씨가 사주마."

"와, 신난다. 음, 뭘로 살까?"

"뭐든 다 괜찮아."

"음, 음…… 사탕으로 할까…… 아니 껌을 살까……."

"사고 싶은 거 다 사주지, 뭐."

"배 아파서 안 된다고, 할머니가 한 개씩만 사라고 했는데……."

"아, 그렇지. 그럼 천천히 잘 생각해서 골라라."

오래도록 마음을 정하지 못하는 어린 나를 오히라 아저씨는 끈기 있게 기다려주었다. 다정하게 웃는 얼굴로…….

'저 자리에는 안 나가고 싶은데…….'

그런 마음이 굴뚝같았지만, 일은 일이었다. 도망칠 수가 없었다. 어쩌면 알아보지 못할지도 모른다는 기대를 하면서, 되도록 눈에 띄지 않으려고 맨 끝자리에 앉았다.

그러나 자리에 앉자마자, 아저씨는 나를 알아보았다.

"자네, 미쓰요 아닌가?"

"네?"

"아저씨, 기억 안 나?"

124

"………."

나는 모르는 척했다.

'지금의 나는, 아저씨가 기억하는 미쓰요가 아니야. 아저씨 무릎에 앉아 좋아하던 순진무구한 그 아이가 아니야. 칙칙하게 더럽혀진 인간이야. 이런 비참한 모습만은 보이고 싶지 않아…… 아직도 내게 자존심이 조금이라도 남아 있기는 한 것인가.'

하지만 아저씨는 포기하지 않았다.

"미쓰요 맞지?"

"………."

"너 어릴 때, 너희 집에 자주 갔었는데 생각이 안 나?"

"………."

"근데, 이런 데서 뭘 하고 있는 거냐? 아버지는 건강하시고?"

"………."

더 이상 모르는 체할 수가 없었다.

"오래간만입니다."

나는 아저씨에게 인사하고 고개를 숙였다. 아저씨는 돌아가는 길에 내게 명함을 건네며 말했다.

"언제든 전화해라."

아저씨는 명함 뒷면에 언제라도 연락이 닿는 전화번호를 적어주었다.

그날 이후, 이따금 아저씨를 찻집에서 만나 대화를 나누었다.

젊은이들을 좋아하는 오히라 씨는 딱한 처지에 빠진 아이가 있으면 그냥 지나치지를 못하는 분이었다. 가정형편 때문에 학교도 제대로 다니지 못하고 취직할 곳도 없어 고민에 빠진 아이가 있으면 자기 회사에 취직시켜 어떻게든 그 아이에게 적합한 자격을 따게 하고 나서 다른 회사에 보내주었다. 그분은 말하곤 했다.

"아이가 부모를 고를 수 없잖아. 아이에게 무슨 죄가 있겠어."

당시 나는 몸에 착 달라붙는 옷차림에 짙은 화장을 하고, 길게 기른 손톱에는 새빨간 매니큐어를 칠하고 다니며, 자리를 가리지 않고 던힐 담배를 피워댔다. 오히라 씨를 만날 때도 그랬다.

"요즘 어떻게 지내냐?"

"그저 그냥…… 근데, 바로 눈앞에서 제 꼴을 뻔히 보시면서 어떻게라니요?"

"네 아버지에게 이야기는 들었다만……."

"예?"

"아버지가 걱정을 많이 하시더라."

"아저씨, 그 작자하고는 언제 만났어요?"

"그 작자라니? 아니, 제 아버지를 그 작자라니, 그게 어디서 배운 말버릇이냐?"

"………."

"부모를 그런 식으로 부르면 안 된다는 거, 너도 잘 알지?"

"………."

"다시는 네 부모를 그 작자니 뭐니 그렇게 부르지 마라."

"………."

"그런 소리 하면 안 돼, 알았지?"

"네."

할 수 없이 그저 입에 발린 대답을 했다.

'뭣도 모르는 주제에…… 어디서 갑자기 불쑥 나타나서 이러쿵저러쿵 설교야, 설교는?'

속으로는 그렇게 투덜거렸다.

찻집에서 나오며 아저씨는 말했다.

"다음주에 여기서 다시 만나는 거야. 약속했다, 알았지?"

그리고는 내 대답을 기다릴 것도 없이 차를 타고 가버렸다.

'나한테 그런 설교를 늘어놓아서 무슨 좋은 꼴을 보겠다고……'

그런 생각을 하면서도 나는 약속한 날이 되면 다시 아저씨를 만나러 나갔다.

그날도, 오히라 씨는 간곡한 어조로 나를 설득했다.

"이런 생활을 계속해서 어쩌려고 그러냐? 지금이라도 늦지 않았어. 다시 한 번 인생을 살아봐."

"그게 무슨 뜻이래요?"

"우선 낮에 일하는 직업을 가져. 보통 사람들이 사는 대로 말야. 인생을 그런 일로 보내면 안 돼."

'무슨 김밥 옆구리 터지는 소릴 하는 거야. 누구는 그걸 몰라. 이렇게 살고 싶어서 사는 줄 아냐구?'

나쁘다는 걸 알지 못하고 나쁜 짓을 하는 경우라면, 그건 나쁜 일이니까 그만두라고 깨우쳐주면 그만일 테지만, 나쁜 짓이라는 걸 뻔히 알면서도 하는 경우엔 얘기가 다르다. 그만두라고 말하는 사람에게 반발심이 든다. '그래서, 그게 뭐 어떻다는 거야……'

나는 정색을 하고 말했다.

"아저씨, 아직도 나한테 할 얘기가 남았어요?"

"그래, 많아."

오히라 씨는 개의치 않고 말을 이어나갔다.

"형광등 하나만 해도 그래. 하루하루를 성실하게 살아가는 사람들이 하나하나 온갖 궁리를 해가며 만들어내는 거야."

천장의 형광등을 손가락으로 가리키던 오히라 씨가 곡진한 표정으로 나를 바라보며 말했다.

"뿌리도 없는 댓가지건 나무젓가락이건, 뭐든지 가리지 않고 제 덩굴을 감고 올라가는 나팔꽃이 되어서는 안 돼. 애써서 덩굴을 감을 거라면 뿌리가 확실한 데다 감고 올라가야지."

'말도 안 되는 잔소리를 참 지겹게도 길게 해대고 있네. 형광등을 누가 만들건 내가 알게 뭐야. 게다가 나는 이제 꽃 같은 건 피울 수도 없네요. 어디다 덩굴을 감아올리건 마찬가지인 사람이야 난……, 으이구 쓸데없는 상관 말고 넙둬 줘.'

아저씨가 무슨 이야기를 하건, 내 마음은 여간해서 열리지 않았다. 하는 말마다 못마땅해서 마음속으로 트집만 잡고 있었다.

'그저 만나기만 하면 설교를 해대고 있어.'

그러면서도 마음 한켠에선 이런 생각도 들었다.

'왜 저렇게 열심이지. 설혹 그렇게 해서 내가 달라진들 아저씨한테 무슨 이득이 돌아갈 것도 아닌데…….'

마음속으로 끊임없이 반발하면서도, 언제나 진지한 얼굴로 "지금이라도 늦지 않아, 새 인생을 살아야 해"라고 말하는 오히라 씨를 보면서 점점 '아저씨를 만나고 싶다. 만나서 무슨 이야기든 그냥 이야기를 나누고 싶다'는 마음이 강해져갔다. 어쩌면 그 말에 기대고 싶었는지도 모른다.

그러던 어느 날이었다. 찻집에서 커피를 마시며 늘 하던 대로 나를 설득하는 오히라 씨의 말을 강하게 자르며 나는 정색하고 말했다.

"이제 와서 새삼스럽게 다시 살라니, 무슨 잠꼬대 같은 소리를 그렇게 하세요? 입에 발린 소리, 그 따위 설교는 이제 그만 해둬요. 그렇게 나를 다시 살게 해주고 싶으면, 나를 중학생 시절로 다시 돌아가게 해주고 난 다음에 얘기하세요."

오히라 씨는 그때 처음으로 내게 언성을 높였다.

"분명히, 네가 길을 잘못 든 게 네 탓만은 아니라는 건 나도 인정한다. 부모도, 주위 사람들도, 제대로 대처해주지 못했겠지. 그렇다고, 언제까지 그렇게 너를 내버리고 살래? 다시 일어서려고 하지 않는 건 분명히 네 탓이야! 대체 언제까지 엄살을 떨고 있을 거냐, 엉!"

다른 손님들이 컵을 떨어뜨리고 우리 자리를 쳐다볼 만큼 큰 소리였다.

'아저씨…… 언제나 온화하던 아저씨가 이렇게 큰 소리를…….'

번개를 맞은 것처럼 온몸에 전류가 찌르르 흘렀다.

'이제서야 나와 진지하게 맞대면해주는 사람을 만났어…….'

태어나서 난생 처음 꾸지람을 들은 것 같았다.

—길을 잘못 든 것이 네 탓만은 아니라고 나도 인정한다.

아저씨의 그 말이 머릿속에서 왕왕 울렸다. 그제서야 비로소 오히라 씨의 마음을 느낄 수 있었다.

'진심으로 나를 걱정해주는 사람을 만났어. 나를 인간으로 대해주셨어……'

기쁨으로 몸이 떨렸다. 나는 엉엉 울었다.

내가 이렇게 된 이유를 누군가에게 이해받고 싶었다. 전부를 다 알아주지 않아도 좋았다. 아주 조금만이라도 좋았다. 내 마음을 알고 다가와주는 사람이 나는 그리웠다…….

"지금 그곳에서 발을 빼도록 해. 속는 셈치고 나를 한번 믿어봐라. 너라면 분명 해낼 수 있어."

"그럴까요?"

"한번 해보는 거야!"

"그치만, 벌써 엉망으로 망가졌는데……"

"이 세상에 끝장이라는 건 하나도 없다. 해보지도 않고 포기하면 안 돼."

"할 수 있을까요……?"

"걱정하지 마. 네 어린 시절을 생각해봐. 그때 그 어린 마음으로 돌아가서 다시 한 번 해보는 거다."

그날 이후, 나는 오히라 씨가 하는 말을 진솔하게 받아들이게 되었다.

그리고 이런 마음도 내게 돌아왔다.

'다시 한 번, 사람을 믿어보자.'

스물두 살의 여름

1988년 7월, 오히라 씨는 나를 다카라즈카에 있는 절에 데려갔다. 청황신(清荒神)을 모신 절이었다.

그 즈음의 나는 신이라고는 눈곱만큼도 믿지 않았다. 아니, 믿지 않겠다고 작심하고 있었다.

'만약 신이 있다면, 내 인생이 이럴 수는 없어. 왕따당해 내가 그렇게 고통스러워할 때 어떤 신도 나를 도와주지 않았어. 신, 하나님, 부처님? 개나 물어가라지!'

그런 생각이었다. 정말 '천벌 받을 인간'이었다.

"우리, 절에 가서 부처님에게 도와달래자."

오히라 씨의 그 말을 들었을 때는 당장 저항감이 밀려왔다. 그러면서도 한켠에선 가보고 싶은 마음도 들었다. 어째서 그런 마음이 들었는지 지금도 잘 알 수 없지만, 뭔가 보이지 않는 것에 이끌렸던 것만은 분명하다. 최근에 어머니에게 그 이야기를 했더니, 어머니는 당연하다는 듯이 이렇게 말했다.

"그야 청황신님이 인도하셨던 게지."

잘 알 수는 없지만, 어머니 말이 맞다는 생각이 든다.

오전 열시에 청황신 역에서 오히라 씨를 만나 함께 절의 경내로 이어지는 참배도(參拜道)를 걸었다. 경사가 급한, 제법 먼 거리였다. 이십대인 내가 걷기에도 숨이 헉헉거리는 비탈길이었다. 주변을 둘러보니 머리는 하얗고 허리가 잔뜩 굽은 할머니, 할아버지들이 지팡이를 짚어가며 그 험한 길을 한 걸음 한 걸음 세듯이 발을 옮기고 있었다. 길가 가게에서는 참배객들에게 일일이 공손한 인사를 건넸다.

"안녕하세요? 안녕들 하세요?"

'저 웃는 얼굴들 좀 봐, 정말 신선해······.'

사람들의 이마에서 흐르는 땀방울조차 반짝반짝 빛나 보였다.

허리를 굽히고 절 문을 지나 경내로 들어갔다. 아름드리 은행나무가 가만히 서 있었다.

신수(神水)로 손과 입을 헹군 뒤 본전으로 갔다.

오히라 씨는 오엔, 오십엔, 오백엔 동전에 오천엔 지폐까지 5가 들어가는 돈들을 시주함에 넣고 합장했다.

나도 오히라 씨가 하는 대로 따라서 시주를 하고 두 손을 모아 고개 숙였다.

'이게 몇 년 만일까······.'

조그만 아이였던 때로 돌아간 듯한 느낌이 들었다.

참배객들의 대부분은 나이 많은 할머니 할아버지들이었다.

오히라 씨가 말했다.

"저 백발 할머니를 보렴."

노인은 여든이 넘었을까, 허리가 직각이 되도록 굽어 지팡이를 짚기도 힘겨워 보였다. 그런 할머니가 어린아이처럼 열심히 무언가를 기원하고 있었다.

"비나이다, 비나이다…… 부디…… 비나이다……."

할머니는 쭈글쭈글한 손을 맞잡고 매달리듯이 수없이 절을 하며 간구하고 있었다.

─경내의 풍경 소리…… 독경 소리…… 향 타는 내음…….

내 마음속에서 무엇인가가 한 꺼풀 벗겨져 나갔다.

'엄마도, 절에 가서 저 할머니처럼 빌고 또 빌었을 거야…….'

머리를 깊숙이 조아리며 수없이 절을 하는 할머니와 어머니의 모습이 겹쳐졌다.

'내 뜻대로 안 되는 인생을 전부 다 엄마 탓으로 돌려왔어. 자살사건을 벌인 것도 내가 나약한 인간이었기 때문인데…… 내 탓이었는데…… 아무리 심한 왕따를 당해도 꿋꿋하게 견뎌내고 자기 삶을 위해 노력하는 아이들도 많아. 아니, 자신의 목표를 향해 열심히 달려가는 아이들이 더 많아. 내가 잘못된 길로 빠져든 건…… 그래, 내가 택한 것이

었어. 그 누구의 탓도 아니야. 모두 내 책임이야……'

모든 일을 남의 책임으로만 돌렸던 스스로가 부끄러웠다.

'이게 마지막 기회인지도 모른다. 마지막 기회…… 다시 한 번 살아보는 거야. 진짜 내 인생을.'

그해 스물두 살의 여름. 스스로 나락에 떨어져 허덕이던 내 눈앞에 한 가닥 밧줄이 내려왔다. 나는 그것을 힘껏 움켜잡았다.

그리고 과거의 모든 것을 끊어냈다.

복수

1988년 7월, 오사카 시의 조그만 원룸 맨션. 그곳이 내 새 출발의 둥지였다.

'혼자 사는 건 쓸쓸하지만 한번 해볼 거야……'

그렇게 새 삶을 결심했지만, 한동안은 아무것도 하지 못하고 그저 멍하니 시간을 보냈다. 중졸의 학력으로 취직하기란 하늘의 별 따기였다. 구인 잡지를 샅샅이 훑어보고 이력서를 보내봤지만 아무 곳에서도 연락이 없었다.

"저, 지난번에 이력서를 낸 사람인데요……"

"네?"

"이력서를 보냈는데, 면접 소식이 없어서요……."

"아아, 중졸 이력서 보내신 분? 뭐 자격증은 있어요?"

"아뇨."

"그럼 안 되지요."

"면접 시험도 못 본다구요?"

"면접을 봐도 의미가 없어요, 중졸로는."

"………."

딸칵, 전화를 끊는 소리가 차디차게 들렸다.

'뭔가 자격증을 따지 않으면 어림도 없어…….'

다시 살아야 한다, 그러기 위해서는 자격증을 취득하지 않으면 안 된다. 이러한 현실을 머리로는 이해하면서도, 어디서부터 어떻게 해야 할지 알 수 없었다.

그렇게 막막한 날들을 보내고 있을 때, 오히라 씨가 전화를 주었다.

"어때, 혼자 생활도 이제 좀 익숙해졌지?"

"네……."

"어째 기운이 없는 것 같다."

"자격증을 따야겠다는 생각은 드는데요……."

"생각은 드는데, 어떻다는 거야?"

"괜히 짜증만 나고 아무 일도 손에 안 잡혀요."

"뭔가 마음에 걸리는 게 있는 거 아니냐?"

"글쎄요……."

"무슨 일인데?"

"아저씨가 제 얘기를 좀 들어주실래요?"

"그래, 좋아. 말해봐."

나는 중학생 때 왕따당한 일만은 도저히 잊을 수가 없었다. 객관적으로는 조직세계에 들어가 있을 때가 더 밑바닥 인생이었지만, 내 개인적으로는 중학교 시절이 훨씬 끔찍하고 비참했다. 남에게 말하기도 치욕스러운 이야기, 말해봤자 고스란히 나 자신이 바보가 되고 마는 그 이야기를 나는 고백하듯 털어놓았다.

내 말을 다 듣고 난 후 오히라 씨는 내게 물었다.

"그랬군. 그렇게 심하게 마음 고생을 했구나. 나도 그 입장이었다면 정말 억울하고 분했을 거야. 지금도 그애들이 미우냐?"

당연히 그랬다. 내 마음속에는 그 과거의 증오와 원망이 무거운 짐처럼 담겨 있었다. 그때까지 당한 기억들, 그 수모와 고통이 새 삶을 살겠다는 결심 정도로 그렇게 간단히 지워지는 것은 아니었다.

나는 오히라 씨가 무슨 말을 하려는지 전혀 짐작도 하지 못한 채 떠오르는 대로 솔직하게 대답했다.

"예, 미워요. 죽이고 싶도록 미워요. 왕따당한 일만은 평생 절대로 잊지 않을 거예요."

그러자 오히라 씨는 선선히 말했다.

"그렇다면 복수하면 되잖아. 단, 방법을 잘 선택해야지. 만약 상대방에게 위해를 가하거나 모략하는 식으로 복수하면 그쪽도 상처를 입을 거고, 일단 상처입은 상대방은 두 번 다시 원래의 자신으로 돌아갈 수 없는데다가, 결국 너 자신에게도 그 피해가 돌아오게 되지. 그보다는, 최대의 복수는 네가 보란 듯이 꿋꿋하게 일어서는 거야. 우선 무엇이 되었든 자격증 하나를 따내. 가령, 그 미운 놈이 부기 3급 자격증을 가지고 있다면 너는 2급을 따. 상대가 2급이라면 너는 1급. 그렇게 하면 상대를 뛰어넘을 수 있으니 네 속도 후련해질 거다. 그게 복수야. 너한테도 득이 되는 일이고. 이보다 더 멋진 복수가 어디 있겠냐?"

오히라 씨가 진짜로 복수를 하라는 뜻에서 한 말은 아니었을 것이다. 내게 어떻게든 다시 일어설 마음을 북돋워주려고 그렇게 얘기해준 것이리라.

"그래요, 꼭 자격증을 딸래요."

나는 그때까지 증오와 원망에 쏟아부었던 모든 에너지를 자격증 취득을 위해 마지막 한 방울까지 다 쏟아붓기로 결심했다. 오히라 씨는 그런 내게 책상을 보내주었다.

그때부터 나는 헛되게 살아온 내 인생을 되돌려 받기라도 하듯 공부에 매달리기 시작했다.

6
새 출발

공인중개사 시험

자격증을 딸 결심은 했지만, 어떤 자격을 취득하면 좋을지 알 수가 없었다. 오히라 씨의 회사에서 일하며 공부하는 소년들은 수도나 설비공사 관계의 자격 취득을 목표로 하고 있었지만, 여자인 나에게는 적합한 일이 아니었다. 그리고 이제까지 여자가 그런 일에 도전한 전례가 없어서 어떤 자격이 좋을지 정보도 얻을 수 없었다.

정보를 얻는 데는 책밖에는 없었다. 집 근처의 대형서점에서 구입한, 자격 취득에 관련된 책은 상당히 두툼했다. 그곳에는 국가 자격 시험을 비롯하여 각종의 자격에 관한 내용이 빽빽하게 담겨 있었다.

'우와, 엄청 많네. 이게 다 뭐야. 아이구, 골치 아파.'

어쩌면 좋을지 몰라 고민하고 있을 때, 우연히 텔레비전 광고에 눈이 갔다.

—여러분도 공인중개사 시험에 도전하십시오. 작년도 합격자의 95퍼센트가 우리 학원 출신입니다.

합격 축하회라는 현수막 앞에서 축하의 술잔을 든 사람들이 웃는 얼굴로 건배 포즈를 취하는 장면이었다.

'공인중개사? 저게 뭐지?'

나는 책의 목차를 뒤적여 공인중개사라는 항목을 찾았다. 해당 페이지를 찬찬히 읽어보았다. 택지나 건물 거래를 중개하며 거래 조건 등을 설명하고 매매를 알선하는 부동산 거래의 전문가가 되기 위한 자격이었다.

하지만 그저 읽기만 해서는 이해되지 않는 게 많았다. 텔레비전에 광고한 학원에 전화해서 물어보았다. 그렇게 해서 시험 내용을 어렴풋이나마 파악할 수 있었던 게 그해 7월 하순경이었다.

'시험일까지 3개월밖에 안 남았어. 그렇지만 할 수 있는 데까지 해보는 거야.'

무모하게도 그때 그런 생각을 했다. 그리고 당장 공부에 뛰어들었다.

　우선 서점에서 기본 수험서를 샀다. 엄청나게 두꺼운 책도 다 있구나 싶었다. 목차를 보고 전체적인 구성을 이해한 다음 본 내용을 읽기 시작했다. 그러나 읽을 수 없는 한자가 너무 많아 여간해서 진도가 나가지 않았다.

　—시가지화 조정구역 내(市街地化 調整區域內)에 있어서의 개발 행위를 억제한다는 차원에서…….

　"시가지화 조정구역 내에 있어서의 개발 행위?"

　거기서 그만 막히고 말았다. 한자 사전을 펼쳐들었다.

　부수와 획수를 모르는 나는 모조리 총획수로 사전을 찾았다. 그래서 내 사전은 총획 페이지 부분만 손때로 거무스레해졌다.

　"전부 몇 획이지? 8획인가?"

　8획을 처음부터 끝까지 찾아보았지만 나오지 않았다.

　'없잖아, 없어…… 그럼 8획이 아닌가?'

　그 주변을 다시 찾아보니 7획에 나와 있었다. 획수조차 제대로 세지 못하는 나였다.

　한자 옆에 일일이 토를 달아나갔다.

　'근데, 어째서 7획일까…….'

　그런 상태였으니 진도가 제대로 나갈 리 없었다. 마음먹은 대로 되지 않는 게 너무나 화가 났다. 일부러 전화해서 걱정해주는 오히라 씨에게 공연히 화풀이하기 일쑤였다.

"음, 어떠냐?"

"어떻기는 뭐가 어때요?"

"공부, 잘되어가니?"

"………."

"왜, 잘 안 돼?"

"정말 못해먹겠어요."

"무슨 소리야?"

"책 한 권 읽는 데 시간이 얼마나 걸리는 줄 아세요?"

"당연히 시간이 걸리겠지."

"정말 이제 미쳐버릴 것 같애요."

"마음을 느긋하게 가져."

"중학교도 제대로 안 다닌 내가 자격을 따겠다고 나선 것부터가 잘못이에요. 사실은 아저씨도 그렇게 생각하지요?"

"그런 생각 해본 적 없……."

"거짓말."

"그런 말 하지 말고, 잘 들어라. 우선, 다 똑같은 인간으로 태어났으니까 다른 사람이 해낸 일은 나도 꼭 해낼 수 있다는 생각을 가져. 그렇기는 하지만 나는 중학교밖에 안 나왔다, 그러니까 고등학교 대학교 나온 사람의 두 배 세 배는 노력해야 한다, 그렇게 생각해. 한 번에 합격하려고 욕심 부릴 것까지는 없어."

삐뚤어진 성격이 여전히 고쳐지지 않아 곧바로 좌절하곤
하는 나를 오히라 씨는 끈기 있게 격려해주었다. 그런 말을
들으면 마음이 얼마간 편해지면서 다시 해볼 의욕이 났다.

일일이 사전을 뒤적여서라도 한자는 읽을 수 있었지만,
읽어도 무슨 뜻인지 도무지 알 수 없는 낱말이 많았다.

—준금치산자(準禁治産者)…….

'이게 뭐지? 무슨 뜻인지 하나도 모르겠네. 이게 정말 우
리말이기는 한 거야?'

글자는 분명히 우리말로 된 글자들이었는데, 난생 처음
보는 외국어만 같았다. 뜻을 알기는커녕 짐작조차 가지 않
았다.

독학으로는 무리라는 것을 절감했다. 한 달여에 걸쳐 기
본서 한 권을 읽고 난 후, 광고에서 보았던 학원에 수강할
수 있는 강좌에 대해 문의했다. 학원에서 우송해준 팜플렛
을 꼼꼼하게 읽었다.

'어머, 수업료가 이렇게 비쌀 줄은 몰랐어. 하지만 강좌를
듣지 않고 혼자 공부하는 건 무리야…….'

모의시험까지 전부 한 세트로 묶여 있는 '합격 직전 2개
월 코스'라는 강좌를 신청했다. 학원비를 지불하고 남은 돈
을 계산해보니, 그 달에 사용할 수 있는 식비가 하루 3백엔

꼴밖에 안 되었다.

'당분간 하루 한 끼로 그럭저럭 때워야겠네……'

나 자신과의 싸움이 시작되었다.

첫번째 수업, 교실에 들어선 나는 충격을 받지 않을 수 없었다.

—합격! 필승!

굵은 고딕체로 새겨진 머리띠를 질끈 묶은 강사가 눈을 부릅뜨고 강의하고 있었고, 수강생들도 땀을 흘리며 필사적으로 강의 내용을 받아 적고 있었다.

'우와, 굉장하네. 여기만 공기가 특별한 것 같아.'

쉬는 시간에, 내 옆자리에서 강의를 들은 샐러리맨 타입의 중년 남자가 말을 걸어왔다.

"굉장하죠. 여긴 정말 살기가 돌 정도예요. 나는 이제 익숙해졌지만 처음 오신 분은 좀 놀랄 겁니다. 실은 이 강좌를 네번째 듣고 있지요. 올해는 꼭 합격해야 할 텐데, 머리가 제대로 따라가주질 않네요, 하하하."

나는 대답 대신 웃을 수밖에 없었다. 뭐라고 대답해야 좋을지, 그저 앞일이 캄캄하기만 했다.

강의는 충실한 편이었다. 이 방면의 명문 학원답게 알아듣기 쉬운 해설을 해주었고, 이해가 안 되는 부분에 대해 질문하면 언제라도 친절하게 가르쳐주었다. 책에 담긴 내용을 이해할 수 있게 되었을 때부터는 문제를 풀어나가기 시작했다. 그럭저럭 문제를 하나하나 맞춰나갈 수 있게 되었다.

그러나 일이 척척 풀려나간 것은 아니었다. 곳곳에서 벽에 부닥치기 일쑤였다.

'또 틀렸네. 어째서 똑같은 곳에서…… 해설도 똑같은 자리에 표를 해두었어…… 아, 정말 난 안 돼…….'

공부가 너무 지겨워지고 그만두고 싶은 마음이 굴뚝같았다.

나는 오히라 씨의 회사에 찾아갔다.

"모의시험에서 합격점을 못 땄어요. 이러다간 합격은 못 해요. 몇 번을 해봐도 똑같을 거예요. 이제 정말 지겨워요…… 당장 그만둘래요."

투덜대면서 책들을 바닥에 내던져버리는 내게 오히라 씨가 말했다.

"이 책들이 무슨 잘못이냐? 너에게 지식을 주었을 뿐인데. 도움은 주었을망정 해는 하나도 안 끼쳤어. 언제까지 행실 나쁠 때의 버릇을 그대로 할래!"

그리고는 바닥에 버려진 책들을 하나하나 주워 내게 건네며 말했다.

"오늘 하루는 그냥 푹 쉬어라."

시험의 중압감에 짓눌려 도리어 튕겨나가는 마음을 가볍게 해주며, 아저씨는 나를 어르고 달랬다.

'정말 못된 버릇이 또 나왔어. 아저씨 앞에서…… 책을 던지다니, 난 정말 최하의 인간이야…… 아저씨한테 또 꾸지람을 듣고 말았어…….'

돌아오는 길에 나는 그렇게 반성하곤 했다.

그러는 동안에 공부의 요령이라는 것도 어찌어찌 깨우쳤다. 풀고 조이는 호흡이 중요했다. 이해해야 하는 과목과 이해까지 할 것도 없이 시험 직전에 암기해버리면 되는 과목이 있다는 것, 죽자살자 외운 것도 시간이 지나면 잊어버리게 마련이니까 시험 당일에 기억할 수 있도록 바로 직전에 훑어볼 노트를 만들어두는 게 효과적이라는 것…… 등등, 나 나름대로 합격을 위한 포인트를 익혀나갔다.

공부하기가 점점 편해졌다.

'반드시 합격해서 앙갚음을 해줄 거야…….'

그런 생각을 하면서 매일매일 책상 앞에 앉았다.

그해 10월, 나는 운좋게도 공인중개사 시험에 합격했다. 합격 통지서를 들고, 곧장 오히라 씨의 회사에 달려갔다.

"됐어요, 아저씨. 합격했어요!"

"정말이냐? 굉장하다, 굉장해!"

"와, 신난다. 미치게 좋아요!"

"단번에 합격이라니, 정말 대단하다. 그것 봐, 노력하면 되잖니. 자신을 가져, 넌 할 수 있어, 암."

오히라 씨는 기쁨을 함께 해주었다.

'그래, 노력하면 되는 거야……'

난생 처음, 가슴 가득 차오르는 자신감을 느꼈다.

사법서사 시험

다음해인 1989년, 이번에는 사법서사 자격 시험에 도전하기로 결심했다. 공인중개사 시험에 합격한 것에 만족하지 말고, 같은 계통의 사법서사 자격까지 따는 게 좋을 거라고 오히라 씨가 추천해주었기 때문이었다. 그러나 그것말고도 다른 이유가 있었다.

공인중개사 시험에 합격하고 이제 새 삶을 살 수 있는 기반을 얻었다고 생각한 나는 부모님께 이제까지의 일에 대해 용서를 빌어야겠다는 마음이 간절했다.

그러나 부모님은 나를 만나려 하지 않았다. 내가 아버지 어머니에게 그때까지 해온 짓들을 생각하면 당연한 일이었다.

'공인중개사에 합격한 정도로 우쭐해서는 안 돼. 무슨 일이 닥쳐도 흔들리지 않을 정도로 확실하게 서지 않으면 안 돼. 좀더 높은 목표를 세우자. 그걸 해내고 나서 용서를 구하자. 그래도 용서해주실지 말지 알 수 없지만……'

그렇게 생각한 나는 당장 공부를 시작했다.

사법서사는 간단하게 말하면 등기 업무의 전문가였다.

나는 곧바로 전문 학원의 '사법서사 수험 합격 강좌'를 수강했다. 민법은 공인중개사 시험 때 공부했기 때문에 쉽게 넘어갈 수 있을 거라고 생각했는데, 엄청난 착각이었다. 공부의 깊이가 달랐다. 공인중개사 때는 전과목을 합해 한 권짜리 참고서로 충분했는데, 사법서사 시험에는 과목별로 각각 한 권씩 참고서가 필요했다.

그해 1989년에 시험을 보았다. 공부한 기간은 반 년밖에 안 되었지만, 나로서는 그런 대로 자신만만하게 치른 시험이었다.

그러나 불합격이었다. 객관적으로 보자면 당연한 일이었다. 사법서사 시험은 그렇게 만만한 게 아니었다. 그러나 나는 합격하지 못한 것이 시험 문제가 나빴기 때문이라고 엉뚱한 핑계를 댔다.

합격자 발표 날, 나를 후원하던 사람들이 모여서 위로의 자리를 마련해주었다. 그 무렵에는 내 과거를 아는 분들이 모여 나를 응원해주는 후원회가 결성되어 있었다. 오히라 씨의 일 관계자며 친구들, 그리고 또 그 친구분들. 나이는 이십대에서 오십대까지 폭이 넓었다. 대부분 일류 대학을 졸업하고, 대기업에서 일하시는 분, 설계사무소 소장, 자기 회사를 경영하는 분 등 다양했다.

그 자리에서 오히라 씨가 따뜻하게 위로해주었다.

"아쉽지만 정말 애썼다. 잘 견뎌냈어."

하지만 합격하지 못해 속이 잔뜩 상한 나는 괜히 오히라 씨에게 화를 내며 툴툴거렸다.

"흥, 문제가 엉터리더라구요."

"문제가?"

"그래요. 답을 이렇게도 저렇게도 쓸 수 있는 그런 문제더라구요. 그런 시험에서 합격하는 사람이 도리어 이상해요."

그렇게 함부로 말하고 말았다.

그러자 오히라 씨는 나 스스로 깨닫기를 기다리듯 차근차근 말을 받아주었다.

"문제가 나빴다니, 그게 무슨 말이냐?"

"왜요? 제 말이 잘못되었어요?"

"문제를 트집잡는 건 옳지 못해."

"하지만 아무리 생각해도 그런 문제를 풀어서 합격한 사람이 이상해요."

"가령 잘못된 문제가 있었다 해도 기껏해야 한두 문제였겠지. 그걸 틀렸더라도 다른 문제를 잘 풀었다면 합격했을 게 아니냐?"

"그렇지만, 시험이란 건 1점 차이로 합격과 불합격이 갈리잖아요."

"그런데도 척 합격한 사람이 있잖아. 너와 똑같은 문제를 풀었는데 말야. 공인중개사 시험에 단번에 합격했다고 자만해서는 안 돼."

"………."

입을 뾰족하게 내밀며 토라진 척했지만, 나는 이미 내 잘못을 깨닫고 있었다.

아닌게 아니라 나는 우쭐해져 있었다. '어떤 시험이건 합격할 수 있다!' 그렇게까지 생각한 건 아니었지만, 적어도 그런 기분에 빠져 있었던 게 사실이었다. 공부가 미흡해서 실력이 확고하지 못하고 어중간할 때는, 자신이 무얼 잘 모르고 있는지를 알지 못한다. 사소한 차이를 스스로 깨닫지 못하기 때문에, 다 아는 것 같고, 꼭 합격할 것 같은 기분이 드는 것이다. 그때의 나는 그런 상태였다. 오히라 씨에게서 꾸지람을 들으며 그걸 깨달았다.

'아, 또 꾸지람을 들었네. 그래, 시험에 떨어지길 잘했는지도 몰라. 이대로 합격했다면 그때는 정말 우쭐해져서 실컷 잘난 체를 했겠지? 아저씨 말씀이 옳아. 다시 첫 걸음부터 시작하는 거야……'

나는 그렇게 조금씩 변해가고 있었다. 반성하는 마음과 함께 세상 일을 긍정적으로 바라보기 시작한 것이다. 마음과는 달리 토라진 척하고 있는 나에게, 후원해주는 분들이 한마디씩 말을 건네며 위로해주었다.

"나도 맨날 오히라 씨한테 혼나면서 살아. 마흔이 넘고 오십이 다 되어가는데도, 이건 뭐 꾸지람 들을 일투성이야. 그정도 혼났다고 기가 죽었다가는 나는 지금 이 자리에 있지도 못했을걸? 하하하."

"맞아, 그 말이 정답이로세."

"꾸지람을 안 듣게 되면 그거야말로 끝장이지."

"오늘은 맛있는 거 많이 먹고, 푹 자고, 내일부터 다시 죽어라 한번 붙어보는 거야."

"그래, 그래."

나는 그분들의 위로에 가슴이 절로 훈훈해왔다.

'세상에는 이렇게 좋은 분들이 많아. 나는 정말 행복한 사람이야⋯⋯.'

그후에도 이따금 꾸지람을 들어가며 공부를 계속했다. 이듬해인 1990년, 나는 사법서사 시험에 합격했다.

1991년 1월, 사법서사 등록을 마치고 곧바로 업무를 시작했다. 일이 어느 정도 안정되어갈 무렵, 나는 부모님을 뵈러 찾아갔다.

벨을 누르자 어머니가 현관문을 열어주었다.

어머니의 모습에 나는 가슴이 꽉 막히는 것 같았다.

'엄마…… 너무 야위었어…….'

어린 시절의 기억들이 떠올랐다. 언제 어디서든 생기 넘치는 얼굴이었던 어머니, "미쓰요, 너희 어머니 정말 예쁘다"며 친구들이 하는 말에 의기양양해하던 어린 날의 기억들. 그런데 지금 내 눈앞에 있는 어머니는 하얀 눈을 맞은 듯 성성한 백발에 눈자위는 움푹 꺼져 있었다. 옛 모습은 찾아볼 길이 없었다. 어머니를 이렇게 만든 게 바로 나라는 것을, 그 순간 뼈가 아리도록 느꼈다.

"잘 지내셨어요?"

"들어오너라."

마치 타인들처럼, 격식 차린 인사를 나누고 안에 들어갔다. 내가 집을 나갔던 당시 그대로였다. 그 자리에 그대로 놓여 있는 가구들, 끔찍하게 패인 서랍장의 홈집…….

'엄마…… 아빠…… 지금까지 어떤 심정으로 사셨을까…….'

내가 상처 낸 서랍장을 바라보며 가슴이 찢어질 것만 같았다.

말없이 고개를 떨구고 앉아 있는 어머니 아버지 앞에, 나는 무릎을 꿇고 앉았다. 용서부터 빌고 싶었다.

"아빠, 엄마, 지금까지…… 정말 죄송해요."

두 손을 모아 사죄하고 바닥에 이마를 대었다.

두 분은 아무 말이 없었다. 한동안 침묵이 이어졌다. 무거운 공기가 주변을 흘렀다.

'역시 용서해줄 수 없으신가 봐…… 당연해. 내가 지금까지 해온 짓을 생각하면 용서받지 못하는 게 당연해.'

좀더 노력하고 좀더 열심히 살면 용서해주실까, 나는 자리에서 일어서려 하였다.

그때, 울먹이는 아버지의 음성이 내 머리 위에 떨어졌다.

"미쓰요, 이제 됐다…… 이제 됐어……."

아버지는 목이 메어 말을 잇지 못했다. 늙은 아버지의 눈에 눈물이 가득 고여 있었다.

어머니도 눈물을 흘리며 내 손을 꼭 쥐고 말했다.

"애 많이 썼다. 정말 애 많이 썼어……."

"엄마, 엄마……."

"잘했다, 잘했어……."

어머니는 엉엉 소리내어 우셨다.

본래 작은 체구였던 어머니가 한층 더 조그맣게 보였다.

'늙으신 아빠와 엄마를 이제 절대로 슬프게 해선 안 돼. 이제부터는 그간 못한 만큼 더 잘 모실 거야…….'

나는 울면서 마음속 깊이 굳게 맹세했다.

7

무모한 꿈

중학영어부터

그 즈음, 오히라 씨가 넌지시 다음 목표를 정하면 어떻겠느냐고 말했다.

"애써 여기까지 왔으니까, 다음 목표를 정해 또 도전해보면 어떨까?"

"무얼 하면 좋을까요?"

"사법고시."

"그게 뭐예요?"

"판사나 검사, 변호사가 되기 위한 시험이야."

"변호사라면 알아요. 판사, 검사도 알긴 알지요."

"거봐, 알고 있구나?"

"아저씨는 그게 가능하다고 생각하세요?"

"가능하다고 생각해."

"정말요?"

"정말이지."

"흠."

"어때, 한번 도전해보지 않을래? 중졸 학력이라도 노력하면 된다는 걸 확실하게 증명해보렴."

"그럼, 해보죠, 뭘."

부끄러운 일이지만, 그때 나는 사법고시에 대해 아무것도 모르고 있었다.

그저 무턱대고 부모님과 오히라 씨, 그리고 진심으로 후원해주는 분들에게서 칭찬을 받고 싶은 마음뿐이었다.

"잘했다. 축하한다."

그 칭찬이 듣고 싶었고, 좀더 많이 인정받고 싶었다. 순전히 그런 이유로, 감히 사법고시에 도전하겠다고 나선 것이다. 시험 중의 시험, 가장 어려운 시험으로 손꼽히는 바늘구멍이라는 건 까마득히 모른 채 말이다.

다음날, 서점에 나가 사법고시에 관한 책을 사들고 와 이

것저것 조사해보았다. 사법고시는 학력, 나이, 성별의 제한
이 없어 누구라도 시험을 볼 수 있었다. 해마다 1월에 치러
지는 1차시험부터 통과해야 하는데, 1차시험은 일정한 경우
에는 면제되었다. 거의 대부분의 수험생이 1차시험을 면제
받고 2차시험부터 본다는 것도 알았다.

그 일정한 경우란, 예를 들면 대학교 법학과라면 일반 교
양과목을 수료한 시점, 즉 대학 3학년이 되면서부터 1차시
험 없이 바로 2차시험을 볼 수 있다는 것이었다.

나는 면제 대상이 될 수 없었다. 1차시험 공부부터 시작하
자고 마음먹고, 예년 문제집을 구입했다. 과거 십 년 동안 출
제된 시험 문제와 그 해답이 실려 있었다. 한 장 한 장 넘겨
가며 훑어보았다.

눈앞이 깜깜했다.

'영어 공부만 할래도 시간이 엄청나게 걸리겠어. 어쩌지?
대학생이라면 3학년 때부터 면제를 받을 수 있지만, 대학에
들어가자면 대학 검정고시에 합격해야 하고……'

어떡할까 고민하던 어느 날, 신문에 모 대학의 통신교육
광고가 나와 있었다.

'통신대학이라도, 대학 검정고시에 합격하지 않으면 못
들어갈 거야.'

그렇게 생각하면서도 광고란을 꼼꼼하게 읽어보았다. 그
때, 이런 문구가 눈에 뛰어들었다.

―대학 입학 자격 인정 제도 있음. 입학 자격이 없는 분이라도 들어올 수 있음.

다시 한 번 읽어보았다.

'틀림없네. 입학 자격이 없어도 들어갈 수 있다고 써 있어. 이게 무슨 얘기일까…….'

당장에 그 대학에 전화를 걸었다.

모 대학의 통신교육부에는 특수생 코스라는 것이 있어서, 일 년 동안에 고등학교 각 과목 3년치에 대해 리포트를 제출하여 합격점을 받으면, 동 대학의 통신교육부 1학년에 입학할 수 있다는 것이었다.

나는 곧바로 입학 수속을 밟았다. A, B, C의 세 코스 중에서 중졸 학력인 나는 가장 과목수가 많은 C코스였다.

'열네 과목이라…… 꽤 힘들겠는데.'

예상대로 정말 힘에 겨웠다. 고등학교 입시 준비는커녕 중학교를 다니는 둥 마는 둥 하다 졸업한 나로서는 그 일반 교양과목이라는 게 상상 이상으로 어려웠다. 일반 고등학생이라면 아무렇지도 않게 풀어낼 쉬운 문제를 나는 요점조차 파악할 수 없었다.

우선 영어부터 정복하기로 했다. 예제들을 훑어보았다. 그러나 머릿속이 하얘질 뿐, 가슴 가득 절망감이 밀려들었다.

아무튼 해보자는 생각에, 적당한 영어문장 하나를 골라

해석해보기로 했다.

—I answer for it that this information is true.

사전을 뒤적였다. 내가 구입한 사전은 영어를 이제 막 시작한 중학생용이었다. 발음기호 뒤에 우리말로 읽는 법을 적어놓은 게 초보자인 나로서는 몹시 고마웠다.

'I는 〈내가〉, answer는 〈대답하다〉, for는…… 아이구, 뜻이 많기도 하네, 일단 〈……을 향하여〉라고 해두자, it는 〈그것〉, that는 〈저것〉, this는 〈이것〉, information은 〈정보〉, is는 〈이다〉, true는 〈진실된〉이지…… 그러면…… 뭐야, 이게?'

중학교 1학년 때 공부했던 영어 실력으로 머리를 쥐어짰다.

'분명히 문장에는 주어와 술어동사가 하나씩 있댔어…… 〈나는〉이 주어이고, 〈대답하다〉가 술어동사인가? 그럼 그 뒤의 〈저것〉〈이것〉〈정보〉는 뭐야? 아, 그렇지, 〈이것〉과 〈정보〉를 합해서 〈이 정보〉로구나. 근데 그 앞의 〈저것〉은 왜 붙어 있지? 그리고 뒤쪽의 〈이다〉도 술어동사잖아, 그럼 어떤 게 주어고 어떤 게 술어동사야? 아차, for는 또 무슨 뜻인지 하나도 모르겠어…… 아이구, 머리야…….'

짐작도 할 수 없었다. 다시 한 번 사전을 뒤적였다. 구석구석 읽어보니, answer for가 합하여 〈책임을 지다〉라는 뜻이 있었다. 중요한 것을 찾아내기는 했지만, 그래도 여전히 해석은 안 되었다.

그러나 되지 않는다고 한숨만 내쉬고 있어봤자 아무 소용이 없었다.

중학교 1학년 공부부터 다시 하기로 마음먹었다. 참고서를 찾으러 서점으로 나갔다. 굉장한 공간을 차지하고 있는 영어 코너, NHK 방송교재를 비롯하여 참으로 다양한 영어 관련 책자가 진열되어 보는 이를 압도하고 있었다. 어떻게든 짧은 시일 내에 끝낼 수 있는 좋은 책은 없을까, 진열대 한쪽 끝에서부터 훑어나갔다. 일일이 꺼내들고 살펴보았지만, 내가 바라는 책은 눈에 띄지 않았다. 오랜 시간을 서 있느라 몸이 녹초가 되었지만, 그날은 아무것도 사지 못하고 돌아왔다.

'저렇게 많은 책 중에 어떤 걸 골라야 할지 모르겠어……'

다음날도 영어 코너를 찾았다. 『중학영어로 수다 떨기』 『영어, 반드시 알아야 할 체크 포인트』 『중3 영어 20일 마스터 코스』 등등 정말 많기도 했다. 오늘도 헛걸음을 할 수는 없다고 생각하고, 『중학영어 3주일에 마스터』와 『3주일에 고등학교 3년간의 영어 실력이 붙는 책』을 샀다. 어찌 됐건 단시간에 영어를 이해할 수 있는 책을 고르고 싶었기 때문이다.

집에 오자마자 책을 붙들고 읽어나갔다. 그날 밤을 꼬박 새우며 책 속에 빠져들었다. 그런데도 그 영어문장을 해석할 수 없었다. 곰곰이 생각해보니 안 되는 게 당연했다. 그 책은 학교 수업을 통해 일정한 지식을 습득한 사람이라면 이해하기 쉬운 책이었지만, 이제까지 전혀 공부한 경험이 없는 사람이 이해할 수 있는 책은 아니었다. 내가 사회인이라는 생각에 젖어 일반인 코너 외에는 돌아보지 않았던 게 실패의 원인이었다. 겸허한 마음으로 다시 초심(初心)으로 되돌아가 중학생 코너부터 살펴보았어야 했다. 시간만 낭비했다는 반성을 했다.

다음날, 이번에는 곧바로 중학생 코너를 찾았다. 거기에도 엄청난 양의 참고서가 진열되어 있었다. 나는 목표 범위를 좁혔다.

'어쨌건 그 영문을 해석해낼 정도의 문법을 일러주는 책이면 된다……'

진열된 책을 전부 훑어보았다. 어떤 책이 내게 적합할지 판단이 서지 않았다. 결국 읽기 쉬운 책을 선택했다.

『영어학습 123』을 들고 한 번 쭉 읽어보았다. 1권과 2권에 설명된 문법은 쉽게 이해할 수 있었다. 그러나 3권에 들어서면서 관계대명사에서 그만 걸리고 말았다. 이를테면, 이런 해설이 있었다.

— a man who looked sad는 〈슬퍼 보이는 사람〉이라는 뜻이다. who는 관계대명사. who 이하는 〈슬프게 보이는〉이라는 뜻으로, 앞의 명사 a man을 수식하는 형용사의 역할을

한다.

　해설을 몇 번이나 읽어보았지만, 알 듯하면서도 정확히 들어오지 않았다. 이렇게 알 듯하면서도 정확히 알 수 없는 게 가장 까탈스러운 벽이다.

　'1권과 2권에 담긴 문법은 잘 알아듣겠는데, 왜 3권은 안 되는 걸까?'

　왜 그럴까 하고 곰곰 궁리했다.

　'그래, 1권 2권에서 다룬 문법은 중학교 수업 시간에 대충이라도 들은 것이기 때문이야…… 그래서 금방 이해할 수 있었던 거야. 3권은 중학교 3학년을 위한 것인데, 내가 3학년 때 전혀 수업을 받지 않아서 통 모르겠는 거야…….'

　이 책은 교과 안내서여서, 중학생이 학교 수업을 받으면서 예습 복습을 하는 데에는 대단히 쓸모 있는 책이었다. 그러나 곧바로 결론만 정리해놓았기 때문에, 수업을 받지 않는 사람이 공부하기에는 이해할 수 없는 부분이 너무 많았다.

　나는 자세한 해설이 달린 문법책을 찾아 다시 서점을 찾았다. 문법책도 종류가 다양했다. 한 권 한 권 꺼내어 머리말을 읽어나갔다. 그렇게 몇 권을 읽어나가다가 『즐거운 영문법』이라는 책을 손에 들었다.

　그 책의 머리말에 이런 구절이 있었다.

―그저 문법 규칙을 늘어놓고, 자 암기하시오, 하는 것이
아니라 어디에서 그 같은 규칙이 생겨났는가, 그리고 왜 그
런가 하는 원리를 스스로 생각할 수 있도록 하였다. 〈왜
Why?〉라고, 원리를 캐보는 것은 인간에게 있어 가장 소중
한 일이다. 영문법에 있어서도 〈왜?〉를 탐구해볼 수 있도록
하자는 데 역점을 두고 이 책을 썼다.

'이 책이다, 내가 찾던 게 바로 이 책이야!'
그 글을 읽는 순간 그런 생각이 들었다. 당장 그 책을 구
입했다. 어떤 공부든, 왜 그런가를 스스로 생각하는 게 가장
중요하다는 것을 그간 시험을 치르면서 체험했기 때문이었
다.
그날 당장 다 읽어보았다. 생각했던 대로 나에게 꼭 맞는
책이었다.
관계대명사 항목을 보니, 다음과 같이 설명되어 있었다.

―I have a dog. The dog runs fast.(나, 개 있어. 그 개, 빨
리 달려.) 아이들은 자신이 빨리 달리는 개를 가지고 있다는
것을 자랑하고 싶을 때, 이렇게 말합니다. 옛날에는 영어도
그렇게 짧은 문장이었다고 합니다. 그런데 중세가 되면서
그런 짧은 두 개의 문장을 하나로 붙여서 말하게 되었습니
다. I have a dog that runs fast. 이때의 that은 〈그것은(그 개

는)〉이라는 식으로 앞의 a dog을 반복하는 대신에 사용한 대명사이면서, 두 개의 문장을 하나로 묶어서 관계를 맺게 해주는 역할도 하기 때문에 '관계대명사'라는 이름이 붙여진 것입니다.

— We respect the people.

위와 같은 문장을 만났다고 합시다. 〈우리는 그 사람들을 존경한다〉라는 뜻이지요. 우리는 이 문장을 읽고, 대체 〈그 사람들〉이란 게 누구지? 라는 의문을 가지게 됩니다. 이 물음에 대해 예를 들어 〈그게 누구인가(who) 하면, 열심히 일하는 사람들이다〉라는 대답이 돌아왔다고 합시다. 물론 이 것은 예문이고 또 다른 여러 가지 대답이 나올 수 있습니다. 공부를 열심히 하는 사람, 착한 일을 하는 사람, 노래를 잘 하는 사람 등등…… 그러나 어떤 대답이 돌아오든 〈그게 누 구인가(who) 하면……〉이라는 부분만은 언제나 똑같습니다.

— I respect the people who work hard.(나는 존경한다, 그 사람들을, 그게 누구인가 하면, 일한다, 열심히)

— 나는 열심히 일하는 사람들을 존경한다.

교실에서 선생님의 수업을 듣는 것 같은 느낌이었다. 지금까지 알 듯하면서도 정확히 알 수 없었던 부분들을 이 책 덕분에 이해할 수 있었다. 그저 결론만 암기하는 공부 방법으로는 응용이 불가능하다. 왜 그런가, 라는 생각의 방식을 배우면 그것을 기초 삼아 스스로 궁리할 수 있게 되는 것이다. 나는 정말 좋은 책과 만나게 되었다는 기쁨을 느꼈다.

그렇게 중학영어를 공부한 다음, 고등학교 범위를 공부하기 위해 참고서를 찾으러 갔다. 될 수 있으면 같은 책으로 고등학생용이 있었다면 좋았을 텐데, 유감스럽게도 같은 출판사의 책은 나온 것이 없었다. 다른 출판사에서 나온 『실력이 쌓이는 고교 영문법』이라는 책을 구입했다. 기본 문법은 이미 마쳤기 때문에 스스로 연구해가며 그럭저럭 진도를 나갈 수는 있었다.

그러나 중학영어와는 달리 엄청나게 어려웠다. 어째야 좋을지 고민에 빠졌다. 그때 문득 나를 후원해주시는 분들의 얼굴이 떠올랐다.

'그래, 바로 그거야. 그분들은 거의 다 대학을 졸업하신 분들이야. 혹시 대학을 나오지 않았더라도 모두 고등학교는 졸업하셨어. 한번 여쭤보자……'

다음날, 그 중 한 분에게 전화했다.

"저…… 죄송하지만, 제게 영어 좀 가르쳐주시겠어요?"

"영어를?"

"네, 고등학교 영어 공부를 하는데 아무래도 장문(長文)

독해라는 게 잘되질 않아요."

"고등학교 영어라…… 학교 졸업한 게 까마득한 옛날인데, 생각이 날지 모르겠네."

"일 주일 정도로 끝낼 수 있었으면 좋겠는데요."

"일, 일 주일 만에?"

"그것말고도 해야 할 과목들이 너무 많아서 그 이상은 시간을 낼 수가 없어요."

"그렇긴 하겠지만…… 암튼, 이삼 일 후에 찾아와봐."

그분은 선선히 부탁을 들어주었다. 쉬는 날마다 그분을 찾아가 영어를 배웠다. 직장 일만으로도 무척 바쁠 텐데, 그분은 모처럼 쉬는 날에 짜증내는 기색 하나 없이 친절하게 가르쳐주었다. 문맥 파악법, 영어만의 독특한 구문을 기억하는 방법, 직역을 피하고 자연스럽게 해석하는 방법…… 요점을 탁탁 집어내어 들려주는 설명이 정말 큰 도움이 되었다.

"나도 대학시험 때 영어 때문에 고생깨나 한 사람이라 제대로 가르치기나 했는지 모르겠네, 이거 참."

그렇게 말하는 그분의 눈은 벌겋게 충혈되어 있었다.

'나를 가르쳐주려고 일부러 다시 공부를 하셨구나. 잠잘 시간을 아껴가며…….'

고마운 마음에 목이 메었다. 어떻게 해서든 시험을 잘 치르지 않으면 안 된다는 생각이 들었다.

영어 공부의 틀을 웬만큼 잡고, 이번에는 수학 공부를 시작했다. 처음 영어 공부를 시작했던 때의 실패를 거울 삼아 이번에는 첫 걸음에 중학생 코너로 향했다. 『뉴코스 중1 수학』을 구입했다. 수학은 차례차례 쌓여 올라가는 과목이라서 중간부터 들어갈 수는 없다. 제1장 〈양수와 음수〉라는 지극히 초보적인 것부터 공부해나갔다. 중학교 3학년용까지 같은 참고서로 공부했다.

그렇게 기초를 다진 후, 고등학교 수학을 공부하기 위해 같은 출판사의 『기초부터 베스트 수학 1, 2』라는 책을 구입했다. 처음부터 꼼꼼하게 읽어보았지만, 중학교 수학과는 비교가 되지 않을 정도로 어려웠다. 한 달 만에 수학을 마칠 계획이었는데, 뜻대로 진척이 되지 않았다. 가슴속이 부글부글 끓어올랐다. 점점 집중력이 흐트러져갔다.

'내가 이 나이에 왜 이런 공부를 해야 하지…… 이제 정말 지긋지긋해.'

참고서를 책장에 밀어넣고 노트는 쓰레기통에 쑤셔박아버리고 쇼핑을 나갔다.

일요일의 백화점…… 아이들 손을 잡고 쇼핑 나온 가족들로 북새통이었다. 나는 식기류 매장에 올라가 유리 그릇들을 바라보았다. 기분전환 하고 싶을 때면 항상 그 매장에 찾아가곤 했었다. 늘 그랬듯이 하염없이 유리 그릇들을 바라보았지만, 그날은 그걸로도 속이 시원해지지 않았다…… 무언가가 마음속에 친친 또아리를 틀고 있었다.

커피숍에 들어가 천천히 커피를 마시며 냉정하게 생각했다.

'아까 내 입으로 이제 지긋지긋해, 다 때려치울 거야 라고 했었지? 근데 잘 생각해봐. 순전히 내가 선택하고 결정한 일이야. 누가 억지로 떠민 게 아니잖아…… 그리고 그게 뭐야, 겨우 한 달 만에 수학 공부를 해치우겠다고…… 그런 무리한 계획을 세우다니, 나 정말 바보 아냐? 그게 되겠어? 애초부터 무리한 계획을 세워놓고 그게 맘대로 되지 않는다고 때려치워? 바보 같은 짓이야…… 집에 가자, 가서 다시 차근차근 참고서를 펼쳐나가는 거야…….'

마음을 고쳐먹고 집으로 돌아왔다. 쓰레기통에서 노트를 다시 집어내고, 책장에서 참고서를 꺼내 책상에 놓았다. 그리고 참고서 첫머리에 실린 〈추천! 전혀 새로운 학습법〉이라는 대목을 뚫어져라 읽어보고 그대로 실행해보기로 했다. 문제를 몇 번이고, 수도 없이 풀고 또 풀었다.

그러는 중에 어느덧 정리며 공식이 하나하나 머리에 새겨졌다. 그래도 알 수 없는 부분은 영어 공부 때처럼 후원해주는 분들에게 도움을 청했다.

그렇게 전과목의 리포트를 제출할 수 있었다. 나는 합격점을 받았다.

'드디어 대학에 들어갈 수 있게 되었어……'

한시름을 놓은 것이다.

스물여섯 살의 봄

리포트 제출에 통과한 뒤, 입학 여부를 판정하는 면접이 있었다. 지정받은 날짜에 잔뜩 신이 나서 면접하러 갔다. 면접관은 한 사람이었다. 면접을 무사히 마치고 입학 수속 설명회에 참석했다. 입학은 결정되었기 때문에, 나는 면접관에게 그간 가장 궁금했던 사항을 물었다.

"저, 통신교육으로 일반 교양과목을 전부 수료하면 사법고시 1차시험을 면제받을 수 있지요?"

그 학교에 입학하는 이유가 사법고시의 1차시험을 면제받기 위해서였기 때문에 무엇보다 그 점을 확인해두고 싶었다.

내 질문에, 면접관은 황당하다는 표정을 노골적으로 드러냈다.

"학생, 사법고시라는 게 어떤 건지 알고나 묻는 건가? 국가적으로 가장 어렵다고 하는 시험이요. 명문 도쿄 대학이나 교토 대학을 졸업해도 어려운 시험인데, 지금 무슨 소리를 하는 거요?"

면접관은 내 질문에는 대답할 필요도 없다는 듯이 그렇게 만 말하고는, 입학 수속에 대한 설명으로 이야기를 돌려버 렸다.

'합격할 수 있겠느냐고 물은 게 아닌데…… 나는 그저 1차시험이 면제되느냐고 물었을 뿐이야. 중졸 학력은 사법 고시에 응시할 수도 없다는 뜻이야, 뭐야?'

나는 화가 났다. 바보 취급을 당한 것만 같았다. 그때 나 는 결심했다.

'좋아, 보란 듯이 합격할 거야. 뭐라 하건 난 꼭 합격할 거 라고. 지금 내게 한 말을 잊지나 마시라고.'

면접이 끝나고, 대학을 나서서 역을 향해 걸었다.

'그러고 보니, 이런 장면이 전에도 한 번 있었던 것 같은 데?'

아까 면접관이 했던 말이 다시 떠올랐다.

'그래, 그래! 중학생 때, 미용학교 합격 통지서를 담임 선 생에게 제일 먼저 보여주러 갔을 때, 그때, 선생님이 냉랭하 게 대꾸하시던 그때……'

상황이나 말의 내용은 달랐지만, 내가 받은 느낌은 똑같 았다.

'지금 내가 중학교 여학생 시절의 나였다면, 분명 요만한 소리에 그만 의욕을 잃고 말았을 거야. 그저 무심한 몇 마디

말에 잔뜩 원한을 품으며 기껏 마음먹은 일을 내팽개치고, 스스로의 인생까지 망치다니…… 정말 어리석었어. 왜 그때 기어코 일류 미용사가 되어서 앙갚음해주겠다는 생각을 하지 못했을까. 그랬다면 그렇게 빗나가지도 않았을 텐데…… 어디서 무슨 말을 듣건 내가 받아들이기에 따라 이렇게도 크게 달라지는 것을…….'

그런 회한과 깨달음이 내 가슴을 때렸다.

1992년 4월, 대학의 통신교육부 법학부에 입학했다. 스물여섯 살의 봄이었다.

통신교육이라 해도, 학교에 전혀 나가지 않는 것은 아니었다. 통신과목 외에, 이른바 스쿨링이라고 하는 출석강의를 받아야 했다. 1년차는, 통신과목으로 29학점(9과목), 출석강의로 7학점(4과목), 합하여 36학점을 취득해야만 했다.

학점 취득 방법은 일반 대학에 비해 복잡한 편이었다. 통신과목은 집으로 우송된 교재를 중심으로 이루어지는데, 과목별로 설정되어 있는 〈설제(設題)〉를 기초로 리포트를 작성해서 제출해야 한다. 리포트 제출 후에는 홀수 달에 행해지는 과목 종강시험을 보고, 여기에서 합격하면 학점이 주어진다. 출석강의는 과목당 18시간의 강의를 받고 마지막 날에 학점 이수 시험을 치른다. 이 시험에 합격해야 학점을 취득할 수 있었다.

출석강의는 교수님께 질문을 할 수 있기 때문에 학점을 따기가 쉬웠다. 그러나 통신과목은 우송되어 온 교재만 보아서는 리포트조차 변변히 쓸 수 없었다. 거의 날이면 날마다 서점에 가야 했다. 그래도 이해할 수 없는 부분은 고교 과목을 공부했을 때처럼 주위 분들의 도움을 받았다.

그렇게 해도 알 수 없을 때는, 전부 달달 외워버렸다. 그게 내 공부 방법의 마지막 수단이었다.

고교 과목을 공부할 때처럼 느긋하게 시간을 가질 여유가 없었다. 특히 영어의 경우는 교과서 처음부터 마지막 페이지까지 통째로 줄줄 외워서 과목 종강시험을 치렀다.

그러나 역시 빨리 먹은 밥이 쉬이 꺼진다고, 그렇게 속전속결로 공부한 것은 진정하게 깨우쳤다는 실감이 들지 않았다. 배우고 익히는 것이 학습이라는데, 시간을 들여 배우고 익혀 내 것이 되지 못한 채 지나가버렸다는 생각이 든다.

그러나 당시의 나로서는 차분하게 내용을 이해하고 삭힐 여유가 없었다. 어떻게든 빨리 학점을 취득하지 않으면 사법고시 2차시험 공부를 할 수 없었다.

한번 놓친 시간을 되돌리기가 얼마나 어려운 것인지, 나는 그때 새삼 절감했다.

아쉬움은 남았지만, 마침내 나는 주변 사람들의 도움을 받아가며 무사히 필요한 학점을 취득할 수 있었다.

아버지

1993년 4월, 2학년이 되었다. 나는 스물일곱 살의 봄을 맞고 있었다.

'통신과목 학점을 5월과 7월 시험으로 따고, 출석강의 학점을 8월에 한꺼번에 몰아서 따내면 일반교양 학점을 모두 이수할 수 있어. 조금만 더 노력하자, 조금만, 조금만 더……'

그러던 참에, 어머니에게서 뜻밖의 전화가 걸려왔다.

"미쓰요……."

"엄마? 웬일이야, 이렇게 아침 일찍……."

"아버지가 몸이 안 좋아."

"아빠가? 어디가 아프신 거야?"

"엉덩이 근처가 아프다고 그러신다."

"엉덩이 근처가?"

"그래."

"병원에는 가봤어?"

"아직 못 갔어. 어디 좋은 병원 아는 데 없니?"

"알았어. 내가 바로 찾아볼게. 엄마가 아빠 잘 좀 돌봐드

려요."

"집에 올 거지?"

"응, 바로 갈게."

전화를 끊고 곧바로 오히라 씨에게 연락했다. 나는 아버
지가 장에 탈이 난 줄 알고 그 계통으로 유명한 병원을 소개
받았다. 구라시키에 있는 병원이었다. 곧장 어머니에게 전
화를 걸어 입원 준비를 부탁하고, 아버지를 모시러 집으로
갔다.

아버지는 통증이 심해 혼자서 걸을 수 없는 상태였다. 어
머니와 내가 양쪽에서 부축하여 신칸센을 타고 오카야마로
나와 거기서부터 택시를 타고 병원으로 향했다. 병원에 도
착하자, 시간외 진료였는데도 의사 선생이 친절하게 진료에
임했다.

'멀긴 하지만, 여기까지 찾아오길 정말 잘했어.'

나는 그렇게 가슴을 쓸어내렸다.

한참을 기다리니 진찰이 끝났다면서 의사 선생이 따로 나
를 찾았다. 어머니는 병실로 옮겨진 아버지를 돌보고 있었
다.

의사 선생은 내 얼굴을 가만히 바라보다가 무겁게 입을
떼었다.

"놀라지 말고 들어요."

뭔가 좋지 않은 예감에 나도 모르게 가슴이 두근거렸다.

"네."

내 대답에 의사 선생은 잠시 머뭇거리다가 말했다.

"아버님은 장이 나쁜 게 아니에요."

"예? 그럼…… 어떤 병인데요?"

"암입니다. 그것도 상당히 진행된 상태예요."

무서운 선고였다.

'아빠가 암에…….'

눈앞이 아득해왔다.

마음속으로 나는 필사적으로 부정했다. 그러나 아무리 부정해도 현실은 현실이었다.

'아빠, 아빠를 암에 걸리게 한 건 나야. 내가 그렇게 못된 짓을 하고 걱정을 끼쳤으니…… 얼마나 속을 태웠으면 그런 몹쓸 병에 다 걸리셨을까. 나만 아니었다면 이런 일은 없었어. 나야, 내 탓이야…….'

나는 자신을 책망했다.

의사 선생이 위로하듯 말했다.

"집 근처에 큰 병원은 있어요? 소견서를 써드리지요. 좀 더 자세한 검사를 해봐야 알겠지만, 어쩌면 수술이 가능할지도 모릅니다."

아버지 집 근처의 현립병원을 대고 소견서를 받으며, 어머니에게는 이 일을 알리지 말아달라고 부탁했다.

'좋은 병원에 왔으니, 네 아빠 병이 이젠 낫겠지…….'

어머니는 이런 마음 하나로 힘든 것을 꾹 참아가며 아버지를 부축해 먼길을 왔는데, 진료받고 이제 한숨 돌리는 참에 이런 무서운 선고를 받게 되면 충격이 너무 클 것 같았다. 그러면 아버지까지 알게 되고, 그러다 집에 돌아갈 수 없는 상황이 벌어질지도 모른다는 생각이 들어서였다.

그날은 집에 돌아오는 것으로 하루를 보냈다.
다음날, 소견서를 들고 현립병원에 갔다. 아버지는 그곳에서 정밀검사를 받았다.
"저희 아버지, 사실 수 있겠죠?"
나는 주치의에게 매달리는 심정으로 물었다.
주치의는 무거운 표정으로 대답했다.
"앞으로 얼마나 버티실지 모르겠습니다. 상당히 진행된 상태예요. 수술을 해도 골반까지 전이된 암을 제거할 수 있을지는 모르겠습니다. 어떻게 하시겠습니까?"
수술을 받아 조금이라도 오래 사실 수만 있다면 하는 마음으로, 나는 주치의에게 수술을 부탁했다.
'아빠에게 뭐라고 말씀드리지? 아직 엄마에게도 말을 못했는데…… 어쨌든 엄마한테는 알려드려야 할 텐데…….'
그날 밤을 뜬눈으로 보냈다. 울어도 아무 소용이 없다고, 스스로에게 수없이 말해도 눈물이 멈추지 않았다. 그러나 어머니에게 언제까지나 입을 다물고 있을 수는 없었다.

다음날, 어머니 곁에 조심스레 앉았다.

"엄마……."

"응?"

"사실은 아빠가……."

"아빠가 어쨌다고?"

"아빠, 암이야."

"뭐, 뭐라고?"

"암이래……."

"구라시키 병원에서는 괜찮다고……."

어머니는 거기까지 말하다 말고 모든 것을 알아차린 듯이 고개를 떨구었다.

"그래, 그랬구나…… 미안하다, 미쓰요. 엄마는 그런 줄은 까맣게 모르고, 너 혼자 무척 애를 태웠겠구나…… 아빠에게는 말씀드리지 말자. 당신 딸이 사법고시 합격하기만 그저 손꼽아 기다리고 있는 참인데……."

그 순간, 나는 마음속으로 맹세했다.

'못된 딸자식이 사법고시에 합격하기만을 학수고대하는 아빠, 내 앞에서 눈물을 보이지 않으려고 이렇게 꾹꾹 참고 있는 엄마…… 이 두 분을 위해서라도, 반드시 아빠 생전에 합격해야 해. 이제까지의 불효를 갚기 위해서라도…….'

아버지는 수술을 받았다. 완전 간호 시스템 병원이라서 가족들이 돌봐주지 않아도 괜찮다고 했지만, 한 달 남짓 되는 입원 기간 동안 어머니와 나는 매일 아침 아홉시부터 저녁 다섯시까지 아버지 곁을 지켰다. 아버지 침대 옆의 응접 세트에서 나는 공부를 계속했다.

공부하는 내 모습을 바라보며 아버지는 종종 물었다.

"어떠냐? 내용을 알겠니? 어렵지 않어?"

나는 그때마다 씩씩하게 대답했다.

"괜찮아요, 이런 정도는 식은 죽 먹기인걸, 뭐."

거의 똑같은 대화가 매일 반복되었지만, 나에 대한 안쓰러움이 가득 담긴 아버지의 그 물음이 매번 고마웠다.

그 무렵, 〈헌법〉 공부를 막 시작한 참이어서 사실은 참고서를 열심히 들여다봐도 아무것도 모르는 단계였지만, 나는 흐뭇해하는 아버지의 표정이 좋아 몇 번이고 똑같은 대답을 반복했다.

아버지는 인공 항문을 달게 되었지만, 그래도 퇴원하여 자택 요양이 가능할 정도로 회복되었다. 그러나 골반까지 이른 암을 완전히 제거하지 못했기 때문에 언제 다른 곳으로 전이할지 알 수 없는 상태였다.

아버지에게 암이라는 병명을 끝내 일러드리지 못했지만, 아버지는 어렴풋이 짐작하고 있는 듯했다. 어머니와 내가 병명에 대해 그저 입을 꾹 다물고 아무 말도 하지 않는 걸 보고 애써 모르는 체해주었던 게 아닐까 싶다.

'아빠가 얼마나 더 기다려주실까. 어쩌면 일 년도 못 버티고 떠나실지도 몰라…… 아빠가 살아 계실 때 합격 소식을 안겨드리고 싶어…… 꼭 첫번 시험에 합격해야만 해…….'

기분 전환을 위한 외출이니 취미니 하는 것도 모두 끊어 버리고, '내년에 반드시 합격한다'는 생각만 머릿속에 새겨 넣으며 죽을둥살둥 공부에 매달렸다.

맹렬 공부

사법서사 시험 공부를 하면서, 그 전에 본 공인중개사 시험과는 공부의 깊이가 너무도 다르구나 하고 깜짝 놀란 적이 있었는데, 사법서사와 사법고시 공부의 차이는 가히 하늘과 땅 차이였다. 한 과목당 기본서 한 권은 고사하고, 과목당 기본서 외에 최소한 두 권, 〈민법〉 같은 경우는 다섯 권 이상이 필요했다.

'평범한 노력으로는 몇 년이 걸려도 안 되겠어. 단기간에 합격할 방법을 강구해야 해…… 객관식 시험에 합격한다 해도 논술시험에 실패하면, 이듬해에 다시 객관식 시험부터 치러야 해…… 그렇다면 객관식 시험에만 매달릴 생각은 애

초부터 버려야 해. 처음부터 논술시험도 염두에 두고 공부하자…….'

다음해에 치를 첫 시험에 합격하겠다고 결심하고, 논술시험까지 대비하여 철저히 공부해나갔다. 우선 학원을 찾았다. 집 가까운 곳에 매년 합격자를 다수 배출하는 학원이 몇 군데 있었다. 그 학원들의 팜플렛을 모두 수집해서 내용을 샅샅이 검토했다. 그리고 수강 가능한 과목은 되도록 모두 강좌를 듣도록 계획을 짰다.

잠자는 시간 이외에는 모조리 공부에 쏟도록 했다. 아침 여덟시에 기상. 세수하고 바로 아침식사 준비를 하면서, 기본서의 주요 부분을 낭독해서 녹음해둔 테이프를 헤드폰 스테레오로 들었다. 내용을 머릿속에 집어넣기 위해 기본서를 읽을 때는 반드시 소리내어 읽었는데, 어느 날 문득 이런 생각이 들었다.

'기껏 소리내어 읽을 바에는 녹음을 해두면 부엌일 할 때, 목욕할 때, 지하철을 탈 때도 들을 수 있겠구나!'

그후부터는 기본서를 읽을 때마다 녹음을 해두었다.

—책임은, 행위자가 자기 행위가 법률상 허용되어 있지 않다는 것을 의식할 수 있고, 이 의식에 따라 반대 동기를 형성하여 적법 행위를 결의하는 것이 기대 가능하다는 것을 근거로 한다. 그러므로 행위자에게 고의, 과실이 인정되는

것만으로는 행위자에게 책임 비난을 가하는 것은 불가능하고, 책임을 인정하기 위해서는 행위자가 자기 행위의 위법성을 의식할 수 있을 것, 즉 다시 말해 위법성에 대한 의식의 가능성이 존재한다는 것을 필요로 한다. 그러므로, 위법성에 대한 의식의 가능성은 고의와 과실에 공통되는 책임 요소로 해석하여야만 한다⋯⋯.

부엌에서 아침밥을 준비하면서 이어폰을 통해 들려오는 내 목소리에 집중했다. 아침을 먹고 설거지를 할 즈음에는 뇌의 구조가 '형법 버전'으로 바뀐다. 그러면 그 다음 공부도 순조롭게 이어졌다.

그러나 항상 그렇게 순조롭게 진행된 건 아니었다. 내 목소리가 코맹맹이 소리만 같고, 듣는 것조차 지겨울 때도 있었다. 그런 때는 무리하지 않고 헤드폰을 벗고 머리를 쉬었다. 아직 몇 개월이나 남았는데, 벌써부터 지치면 시험 날까지 버텨낼 수 없었다.

그렇게 지칠 때마다 오히라 씨에게 전화를 했다.

"아저씨, 지금 시간 어떠세요?"

업무 시간중이니 바쁘리라는 건 당연한 일이건만, 지금 시간이 어떠냐며 갑작스럽게 전화해대는 이기적인 나에게, 오히라 씨는 싫은 기색 한 번 없이 이야기 상대가 되어주곤 했다.

"아아, 기본서를 아무리 읽어봐도 논점(論点)을 하나도 모르겠어요."

"처음에야 그렇겠지."

"해도 해도 끝이 없어요. 여기가 내 한계일까요?"

"그럴 리가 있나. 그런 생각 하면 안 돼."

"무슨 뜬구름 잡는 일만 같고, 정말 어째야 좋을지 모르겠어요……."

"미쓰요, 지금 너는 정상이 보이지 않는 산을 오르고 있는 거야."

"정상이 보이지 않는 산?"

"그래. 정상이 훤히 보이는 산은 낮아. 정상이 보이지 않는 산은 그만큼 높은 거지. 그 높은 산이 구름에 싸여 있으니 뜬구름 잡는 일처럼 느껴질 때도 있겠지. 그러나 정상에 올랐을 때의 기쁨은 어느 쪽이 크겠어?"

"그야 정상이 보이지 않는, 높은 산 쪽이겠죠."

"그렇지? 네가 스스로 원해서 정상이 보이지 않는 산에 오르고 있는 거야. 지금 그 산의 6부 능선을 지나고 있는 거야. 이제 조금만 더 가면 돼."

"6부 능선…… 그렇네요. 얍, 힘을 내자, 힘내자!"

마음이 불안해질 때면 그렇게 아저씨께 전화해서 힘을 얻곤 했다.

논술시험 공부는, 기본서 학습 외에도 본시험 직전에 들여다볼 수 있도록 내 나름의 논증 노트를 작성하는 것이 중심이었다. 매일 예닐곱 시간 동안 필기를 했다.

그러다 보니 오른손에 통증이 왔다. 처음에는 자석 파스를 붙이기도 하고 습포제를 바르면서 진정시켰지만, 쉴 틈 없이 계속 필기하는 바람에 건초염으로 발전하고 말았다. 그러거나 말거나 아픔을 참아가며 필기를 계속했다. 습포제와 붕대, 진통제는 내게 삼대 상비약이 되었다. 팔뿐만이 아니었다. 똑같은 자세로 몇 시간이고 앉아 있으니, 허리며 등, 어깨와 목 주위 할 것 없이 온통 아프지 않은 곳이 없었다.

그러나 아무리 늦더라도 매일 저녁 열시에는 잠자리에 들도록 마음을 썼다. 어릴 때부터 잠이 많은 편이었던 터라, 하루에 10시간 동안 수면을 취하지 않으면 머리가 맑아지지 않아 공부에 집중할 수 없었다. 그 대신 잠자는 시간 이외는 오직 공부에만 몰두했다. 아니 수면중에도 공부하고 있었는지 모른다. 아무리 궁리해도 알 수 없었던 부분이, 다음날 아침 눈이 뜨이면서 확연히 이해되던 일이 자주 있었던 것이다.

아무튼, 하루도 빠짐없이 마음속으로 되뇌었다.

'합격하고 싶다! 반드시 합격할 거다!'

그리고 불합격이란 글자는 아예 머릿속에서 지워버리고, 합격하는 경우만 생각하였다.

물론 이따금은 이런 생각이 엄습할 때도 있었다.

'이렇게 해서, 정말 합격할 수 있을까……'

특히 답안지 연습 모의시험에서 성적이 합격선에 이르지 못했을 때는, 더욱 그런 불안감에 시달렸다. 일단 불안감에 사로잡히면 좋지 않은 일, 즉 불합격했을 경우만 머릿속에 연달아 떠올랐다.

'합격한다'는 생각을 지속시키기 위해 노력했다.

─합격!

두 글자를 하얀 종이에 크게 써서 책상 위에 붙였다. 그리고 합격이라고 써 있는 모든 것, 이를테면 전자제품 등에 품질검사 '합격'이라는 딱지가 붙어 있으면 그걸 떼어내 항상 눈에 보이는 곳에 붙이기도 했다. 그렇게 합격이라는 글자를 내 뇌리에 각인시켰다.

'이렇게 공부하면 반드시 돼. 나는 합격이야!'

'진짜로 합격할 수 있을까……'라는 생각이 자꾸만 머리를 쳐들려는 것을 이를 악물고 꼭꼭 억눌렀다.

오히라 씨도 걱정이 되어 이따금 전화를 해주었다.

"어때, 잘되어가? 밥은 잘 먹고?"

"예, 잘 먹어요."

"정말이지?"

"괜찮아요. 공부도 잘하고 있어요."

"잘해보려고 무진 애를 쓴다는 건 잘 안다만, 무엇보다도 건강을 소중히 하지 않으면 안 돼."

"네……."

"아버지 건강은 좀 어떠시냐?"

"어제도 전화드렸는데, 별로 좋지 않으신 것 같아요."

"저런…… 집에는 자주 들르지?"

"네, 일 주일에 한 번은 뵈러 가요."

"그렇구나. 그래야지, 암."

"네."

"어떻게든 오래 살아주시면 좋겠다만."

"네…… 저, 내년에 꼭 합격할 거니까 그때까지만이라
도……."

"그래? 아저씨도 기대가 크다. 그렇지만 너무 무리하면
안 된다."

"네…… 무리는 안 할게요."

무리하지 말라는 오히라 씨의 진심 어린 배려가 기뻤다.
나를 진심으로 걱정해주시는 분들, 그에 대한 감사의 마음
때문에 더더욱 그 기대에 답하고 싶었다.

공부가 아무리 바빠도 일 주일에 한 번은 꼭 집에 들렀다.
아버지는 단것을 좋아해서 달콤한 찹쌀떡을 사가곤 했다.

"미쓰요가 가져오는 건 정말 맛이 있구나."

무엇이든 내가 가져가는 것이면 아버지는 무조건 좋아

했다.

시험 날짜가 한 달 남짓 남았을 무렵, 아버지는 걱정스레 말했다.

"너무 공부만 하다가 건강을 해치면 큰일이야. 절대로 무리하면 안 돼. 그리고, 이제 시험 날도 한 달밖에 남지 않았는데, 매주 집에 들르지 않아도 괜찮아. 왔다갔다 차 타는 것만도 피곤할 텐데 공부에 지친 몸이 얼마나 힘들겠냐?"

아버지는 당신이 그렇게 아픈 상황에서도 딸 건강을 걱정했다.

무리해서 매주 찾아가면 도리어 걱정을 끼칠 것 같아, 그때부터는 매일 전화를 하기로 했다.

전화 받는 어머니에게, 늘 가슴 졸이며 물었다.

"엄마, 오늘 별일 없지?"

"응, 집엔 별일 없어. 너는?"

"나야 항상 무사하지. 아빠는 좀 어때?"

"응, 그만하시다. 전화 바꿔줄까?"

그리고 애써 밝게 전화를 받는 아버지의 목소리.

"미쓰요구나, 오늘도 고생 많았쟈?"

"아뇨, 괜찮아요. 아빠야말로 힘드신 거 아녜요?"

"온종일 공부하는 사람이 힘들지, 내가 뭘 힘들겠니? 괜찮다, 건강해."

"조금이라도 이상한 기미가 보이면 바로 병원에 가셔야

해요."

"괜찮아, 나는. 이렇게 멀쩡한 걸 보니 앞으로 한 삼십 년은 더 살 모양이다, 하하하."

매일 비슷한 이야기가 오갔다. 두 분이 모두 애써 건강한 모습을 보이려고 노력하고 있었다.

그러나 아버지의 건강 상태가 차츰 나빠져간다는 것을 확실하게 느낄 수 있었다.

'아빠…… 얼마나 힘드실까. 목소리가 잔뜩 가라앉았어. 항암제를 쓰면 정말 괴롭다던데…… 시험 날이 닥쳐오니까, 내가 신경 쓰지 않게 하려고 일부러 아무렇지도 않은 척해 주시는구나…….'

시험을 목전에 앞둔 나를 한 번이라도 더 격려해주려고 애쓰는 아버지 어머니의 마음이 느껴졌다. 그 마음에 보답하고 싶었다.

'지금 당장 집에 가고 싶어. 그렇지만, 지금 내가 할 수 있는 일은 시험에 합격하기 위해 공부에 몰두하는 것뿐이야. 그 길밖에 없어…….'

시험 날까지 이제 불과 며칠. 집 안에 틀어박혀 공부에만 온 마음을 기울였다. 밤샘 공부도 했다. 이제…… 시간이 없었다…….

저 견고한 벽

첫번째 벽

1994년 5월, 매년 어버이날에 치러지는 객관식 시험 날. 나는 시험회장을 간사이 대학으로 신청했다. 구름 한 점 없이 맑은 날이었다. 헌법, 민법, 형법 세 과목 중에서 가장 자신 있던 민법부터 풀어나갔다.

그러나 그해에 출제된 민법 문제는 무척 까다로웠다. 첫번째 문제를 읽어보니 개수(個數) 문제였다. 개수 문제는 시간이 걸릴 것 같아 그냥 넘어가고, 두번째 문제를 보았다. 견해를 조합하는 문제였다. 문제를 꼼꼼히 읽었지만 적절한 답이 골라지지 않았다. 물음표를 쳐놓고 다시 다음 문제로 넘어갔다.

'아냐, 이게 아냐…… 평소에 하던 대로 확실하게 답을 집어낼 수가 없네…… 왜지?…… 문제에 나온 견해는 처음 듣는 내용이야. 기본서에 이런 게 나와 있었던가?'

문득 정신을 차리니, 나도 모르게 쓸데없는 생각에 빠져 있었다. 기본서에 나왔거나 말거나 그런 건 아무 관계도 없는 얘기이고, 또 그 견해를 아는지 모르는지에 대해서 묻는 것도 아니었다. 그 견해에 서면 어떤 결론을 내릴 수 있는가를 묻는 것이었다. 따라서, 그 자리에서 당장 생각을 굴리지 않으면 답을 낼 수 없는 문제였다. 문제 옆에 물음표를 쳐놓고 넘어가는 문제가 점점 많아졌다. 게다가 뒤를 이어 정신이 번쩍 들게 어려운 문제가 나왔다.

—다음에 든 명제 A와 명제 B 사이에 'A라면 B이고, B라면 A이다'라는 관계가 성립하는 것은 몇 개인가.

'이게 뭐야?'

이어서 다시 개수 문제. 나는 그만 문제를 푸는 일 자체가 지겨워지고 말았다.

연필을 책상 위에 내려놓고 한참을 멍하니 있었다.

그러다가 퍼뜩 정신을 차리고 주위를 돌아보니, 나보다 훨씬 나이 어린 수험생들이 끙끙거리며 열심히 문제를 풀고 있었다. 우리 교실에는 유난히 젊은 사람이 많구나 하고 생각했는데, 나중에 알고 보니 그도 그럴 것이 내가 사법고시 원서를 제출할 당시에 그 수험생들은 일반 교양과목 수료 예정자, 즉 2학년이었다. 수료 예정자들의 원서는 뒤로 밀려나기 때문에, 그 교실에는 이제 막 3학년에 진급한 학생들이 주로 모여들게 된 것이었다. 어쨌건 아직 앳된 학생들이 곁에서 분투하는 모습에 나는 새 힘을 얻었다.

'그래, 여기서 무너지면 안 돼. 끝까지 해보는 거야…… 지금까지 이날을 위해 얼마나 공부해왔는데. 아빠, 엄마, 아저씨가 나를 응원해주고 계셔. 여기서 무너지면 안 돼…… 절대 안 돼…….'

문제를 다시 처음부터 읽었다. 어찌어찌 시간 안에 모든 문제에 답을 냈다. 그러나 합격할 것 같은 느낌이 전혀 들지 않았다. 답안 연습회나 모의시험에서 합격점을 따냈을 때는 반드시 그럴 것 같은 느낌이 있었는데 이번에는 그게 전혀 없었다. 이제까지 그런 느낌이 너무 확실했었기 때문에, 더더욱 불안감이 밀려들었다. 답을 쓰면서도 확신이 들지 않아 화가 나기도 하고 나 자신의 어리석음이 너무 싫다는 생각이 머릿속에 가득 찼다.

'아, 끝장이야. 올해는 이걸로 끝일지도 모르겠어. 주위 분들에게 뭐라고 죄송하다는 말씀을 드려야 좋을지…… 아빠 생전에 어떻게든 합격 소식을 안겨드리고 싶었는데…….'

그런 생각을 하며 답안지를 써내려갔다. 진한 허탈감이
엄습해왔다.

집에 돌아오자마자 아버지 집에 전화를 했다.

어머니가 걱정스러운 목소리로 물었다.

"시험은 어떻게, 잘 봤니? 고생 많았지?"

"아니, 괜찮아. 문제도 전부 다 풀었어……."

나는 아버지 어머니에게 공연한 걱정을 끼치고 싶지 않아
그렇게 대답했다.

"그래, 다행이다. 오늘은 고단할 테니까 목욕하고 푹 쉬
어."

"응. 고마워, 엄마."

"그래, 어서 쉬어라."

"아빠한테 걱정 마시라고 전해줘."

"그럼, 전하고말고. 그 동안 너 합격하게 해달라고 날마다
절에 가서 치성을 드렸으니까 분명 좋은 결과가 있을 거야."

"절에 다녔다고?"

"왜 그렇게 놀라니?"

"아, 아니. 고마워, 엄마. 잘 빌어줘야 해."

"그럼."

문제가 너무 어려워서 잘 모르겠더라는 말이 막 튀어나오
려는 것을 가까스로 참았다.

'안 돼, 그런 얘길 하면 엄마가 걱정하느라 잠도 못 주무
셔. 불합격인지 아닌지는 발표할 때까지 누구도 장담할 수
없는 거야. 그 문제가 어려웠다면 다른 사람들도 똑같이 어
려움을 느꼈을 거잖아? 다들 너무 어려워서 나처럼 힘겹게
답을 썼을지도 몰라.'

나는 발표할 때까지 애써 쾌활하게 행동하기로 마음먹었
다. 그리고 마음속으로는 매일 기도하고 또 기도했다.

'부디 합격하게 해주세요, 부디……'

객관식 시험 합격자는 5월 하순에 각자 시험을 치른 회장
별로 발표하였다. 일부러 회장까지 가지 않아도 합격 여부
를 나중에 우편으로 알려주고, 전화 서비스를 해주는 학원
도 있어서 집에서 기다리고 있어도 되었다. 그러나 두 가지
방법이 다 시간이 제법 걸리기 때문에 결과를 빨리 알고 싶
은 사람은 회장에 가야 했다. 그러나 합격 발표일에 회장까
지 확인하러 가는 데는 적지 않은 용기가 필요했다.

'합격했으면!'

그런 마음이 강하면 강할수록 내 번호가 없을 경우가 두
려웠기 때문이다.

'좋지 않은 결과라면, 될수록 늦게 아는 게 낫지……'

그러나 막상 발표일이 되자, 조바심이 일어 견딜 수가 없
었다.

'드디어 발표일! 어제는 한숨도 못 잤어. 잠을 자면 불합격이라는 꿈을 꿀 것 같아서…… 행여라도 그런 꿈을 꾸면 정말 재수없잖아. 제발 합격했으면…… 아, 하지만 합격했을 리가 없어. 그 문제에 썼던 답, 완전히 잘못 짚었잖아…… 차라리 답을 맞춰보지 말걸. 아아, 떨어졌으면 어떻게 하지…….'

아침부터 똑같은 혼잣말이 자꾸만 머릿속을 맴돌았다. 가만히 집에서 기다리고 있을 수가 없었다.

'어서 결과를 알아봐야지, 이러다간 머리가 돌아버리겠어.'

결국 합격 발표 30분 전에 회장에 도착했다. 벌써 몇몇 수험생들이 모여 서서 얘기를 나누고 있었다.

"드디어 발표군요."

"오래 기다린 것 같기도 하고, 바로 어제 시험 치른 것 같기도 하고, 마음이 착잡하네요."

"오늘은 아침부터 안절부절, 어쩔 줄을 모르겠더라구요."

"댁도 그랬어요?"

"난 이 발표 보러 오는 게 벌써 세번째요. 이제 정말 끝내고 싶은 마음이 간절하오만."

"무슨 말씀을. 난 다섯번째요."

"우와……."

"두번째부터는 이 자리에 해마다 내 번호가 나붙기는 했는데, 논술에서 번번이 미끄러지는 바람에……."

"정말 굉장하네요. 난 객관식에서부터 아예 한 번도 내 번호를 본 적이 없어요."

"객관식에서 번번이 합격한다는 게 보통 일이 아니죠. 저, 만약 이번에도 제가 미끄러지면 객관식 합격하는 요령 좀 일러주십쇼."

"나도 좀 부탁합시다."

'굉장한 얘기야…… 처음 응시한 나 같은 사람은 말도 못 붙이겠어…….'

잔뜩 주눅이 들어서 이야기판에도 끼여들지 못하고, 합격자 수험번호와 이름이 나붙는 정문 앞에 서서 발표하기만 기다렸다. 가방 안에서 수험표를 꺼냈다. 우편엽서 흰 면에 수험번호며 시험 내용이 인쇄되어 있는 그 수험표…… 시험을 치른 뒤 이 수험표 한쪽 귀퉁이에 '합격' 두 글자를 연필로 굵게 써넣었다. 그리고 오늘까지 부적과 함께 내 책상 머리맡에 고이 모셔두었다.

방이 나붙기를 기다리며, 나는 수험표를 꼭 움켜쥐었다.

시간이 되자, 담당자가 게시판 같은 걸 들고 건물에서 나왔다. 드디어 정문 앞에 방이 내걸렸다. 수험생들은 일제히 다투어 그 주변을 에워쌌다.

―1935번.

나는 내 번호를 찾았다. 여간해서 눈에 띄지 않았다. 그도 그럴 것이 수이타 지역에서 접수한 응시자 수는 거의 2천 명에 이르고, 내 번호는 그 중 1935번이었으니 끝에서부터 찾는 게 빠를 것을, 맨 꼭대기부터 순서대로 훑어 내려갔기 때문이었다. 눈으로 번호를 쫓다 보니 숫자가 성큼성큼 건너뛰면서 남은 번호가 팍팍 줄어드는 게 소름이 돋도록 느껴졌다. 아, 어쩌지…… 없을지도 몰라…… 없을 거야…… 그때!

'있다, 있어, 있어! 1935번…….'

맨 아래에 있는 내 번호가 눈에 들어왔다! 가장 마지막에…… 다시 한 번 손에 들고 있던 수험표 번호를 확인했다.

'맞아, 1935번! 합격했어…… 합격이야!'

나는 사람들 틈을 헤집고 공중전화로 달려갔다. 제일 먼저 집에 전화를 했다.

어머니가 전화를 받자마자 나는 크게 소리쳤다.

"엄마, 있어!"

"뭐라구?"

"있다구, 있어……."

"미쓰요?"

"있어…… 있단 말야……."

너무 기뻐서 다른 말이 나오지 않았다. 그제서야 합격 전화라는 것을 깨달은 어머니가 말했다.

"저, 정말이니?"

194

어머니는 당장 목소리가 잠겨들었다. 전화 저편에서 어머니가 울고 있었다.

"아빠에게도 합격했다고 알려줘."

전화를 끊고, 곧바로 오히라 씨에게 전화했다.

"아저씨, 합격했어요!"

"정말이야?"

"네, 합격이에요."

"아, 잘했다! 정말 잘했어. 어서 이쪽으로 오너라. 다들 기다리고 있다. 밥 먹으러 가자."

"네, 금방 갈게요."

그날 저녁, 오히라 씨와 후원해주는 분들이 모여 객관식 시험 합격 축하회를 해주었다.

시험 보던 날 포기하지 않고 마지막까지 문제를 풀어서 정말 다행이었다는 생각이 들었다.

'논술시험까지 이제 두 달, 열심히 해보자!'

나는 더욱 집중하여 공부에 몰두했다. 공부가 안 된다고 책을 내동댕이칠 시간도, 스트레스가 쌓여 가슴이 부글거린다고 그걸 삭일 시간도 내겐 없었다.

두번째 벽

논술시험은 7월이었다. 객관식 시험을 간사이 대학에서
본 사람들도 논술시험은 교토 대학에서 치러야 했다. 여름
도 한창 열이 오를 대로 오른 때, 사흘 동안에 걸쳐 시험이
실시되었다. 더구나 교토의 기온(祇園) 축제 기간과 겹치는
때였다. 사람들이 너나없이 시원한 유카타 차림으로 축제를
즐기는 때에, 수험생들은 후줄근한 차림으로 시험장 주변을
어슬렁거린다. 그야 우리는 나름대로 큰 뜻이 있어 지금 잠
시 고생하는 것뿐이라고 자위는 해보지만, 축제를 보러 온
사람들에게 민망할 정도의 몰골들이었다.

'올해 꼭 합격해서 내년에는 유카타 입고 돌아다니세!'

그게 고시 수험생들의 수인사였다.

첫째 날, 일찌감치 시험회장인 교토 대학으로 향했다. 교
실은 수험번호 순으로 배당되었는데, 나는 시계탑 바로 곁
의 대강의실이었다. 학원에서 함께 공부했던 친구가 교실이
어디냐고 물었다.

"무슨 대강의실이라던데?"

내가 무심코 대답하자, 그 친구는 동정을 금치 못하겠다
는 듯이 말했다.

"꺄악, 최악이다. 에그, 불쌍해서 어째. 부디 몸조심해."

'뭐가 최악이라는 거지? 어떤 교실이 걸리는가에 따라 무슨 큰 차이라도 나는 건가?'

옆자리에 특이한 사람, 이를테면 중얼중얼 혼잣말을 하는 사람이 앉는다든지 하면 정신이 산만해져 괴롭다는 이야기라면 나도 알고 있었다. 그러나 교실이 어디로 정해지건 그게 그렇게 큰 문제가 되리라고는 상상도 하지 못했다.

그러나 대강의실에 들어서면서 그녀의 '꺄악'의 의미를 알게 되었다. 그곳은 에어컨도 없는데다 햇빛을 피하느라 검고 두툼한 커튼까지 묵직하게 드리워져 있었다. 바깥 기온이 38도나 오른 그날은, 시험장 안이 그야말로 지옥열탕처럼 뜨거웠다. 영락없는 고온 사우나였다. 같은 시험장이라도, 작은 교실 쪽은 비교적 시원하다는 걸 잘 아는 베테랑 수험생 중에는 이 악명 높은 대강의실을 피하기 위해 숫자를 계산해가며 원서를 제출하는 사람도 있다는 것을 나중에야 알았다.

'정말 푹푹 찌네. 얼음주머니 같은 거라도 가져올걸. 아아, 벌써부터 시원한 얼음물이 눈앞을 오락가락해……'

주변을 둘러보니, 대야를 가져온 수험생이 있었다.

'저 대야로 뭘 하려는 걸까. 설마 빨래는 아닐 테고……'

이상해서 잠시 지켜보니, 그 남자는 대야에 물을 받아 발을 첨벙 집어넣었다.

'우와, 심하다. 아주 이골이 날 대로 났구나. 그렇다면 해

마다 객관식 시험에는 합격한 셈이잖아. 정말 무시무시한 사람이야.'

나는 이상한 대목에서 감동하고 있었다.

그날의 수험 과목은 오전에 헌법, 오후에 민법과 상법이었다.

내 자리는 대강의실의 뒤쪽이었다. 문제지는 맨 앞자리에 엎어진 채 놓여 있었다. 시작 벨과 동시에 앞자리 수험생이 자기 것을 한 장 집고 나머지를 뒷자리 수험생에게 전한다. 문제지를 받아든 수험생은 앞면으로 돌려 당장 문제를 읽고 있었다. 문제지가 전 수험생에게 다 나눠진 다음 똑같이 시작하는 게 아니었다.

'어? 이게 뭐야, 앞자리 쪽에 앉은 사람이 유리하잖아? 문제지 좀 빨리 넘겨요, 빨리……'

한시가 급했다.

오전 헌법 문제는 그럭저럭 편안하게 쓸 수 있었다. 첫 시간이기도 해서 비교적 머리가 잘 돌아가는 것 같았다. 그런데 오후부터는 머리가 멍해지면서 거의 돌처럼 먹먹했다. 우선 민법부터 시작되었다.

오전 시험과 마찬가지로 문제지가 차례차례 뒤로 건너왔다. 그런데, 문제지를 먼저 본 앞자리에서부터 놀라는 소리가 연이어 터져나왔다.

"어?"

"헛!"

아직 문제를 보지 못한 뒷자리 쪽 수험생들로서는 영문도 모르고 그보다 더 초조한 일이 없었다.

'어떤 문제가 나왔길래, 저럴까?'

손에 땀을 쥐어가며 문제지를 기다렸다.

드디어 내게 문제지가 왔다. 곧바로 앞면으로 뒤집어보니 두 문제였는데, 그 중 한 문제가 정말 신음이 절로 나올 만한 문제였다.

'이거 어쩌지, 이런 건 지금까지 생각해본 적도 없어. 뭘 어떻게 써야 하지?'

머릿속이 새하얘졌다.

그때 아버지의 얼굴이 떠올랐다.

'그래, 아버지는 그 지독한 병과 싸우고 계시잖아. 포기하면 안 돼. 여기서 물러설 수 없어…… 그리고 아저씨가 항상 그러셨지, 이 세상에 해서 안 되는 일은 하나도 없다고…….'

나는 마음을 다잡고 다시 한 번 문제지를 손에 잡았다. 그리고 쓸 수 있을 만한 문제부터 먼저 써내려갔다. 한 문제를 힘겹게 마치고 시계를 보았다.

이제 남은 시간은 한 시간. 미뤄두었던 문제를 다시 차근차근 다섯 번쯤 읽다 보니, 답안 구성이 떠올랐다. 그러나 막상 쓰려고 하니 펜이 움직이지 않았다. 다시 문제를 뚫어지게 노려보고 있는데, 머릿속에서 뭔가 번뜩 스쳤다. 그때, 시계를 보니 벌써 사십 분이나 지나 있었다.

'맙소사, 이십 분밖에 안 남았어!'

막판이었다. 죽을둥살둥 써내려갔다. 만년필을 잡고 있는 손에 밴 땀과 이마에서 떨어지는 땀으로 잉크가 번지고 눈물까지 곁들여져 답안지가 꾸깃꾸깃해졌다.

'다 됐다!'

시간 안에, 겨우 쓰고 싶은 내용을 다 쓰고 우선 한숨을 돌렸다.

'이제 마지막 한 과목……'

그날의 마지막 과목은 상법. 교실 안의 온도는 이미 40도 가까이 올라 있었다. 훔쳐도 훔쳐도 땀이 줄줄 흘렀다. 문제지를 읽어보니, 첫번째 문제는 학원의 모의시험에서도 곧잘 출제되던 것이었다. 또 한 문제는 상법 총칙 문제였다. 사법고시 수험생이 비교적 쉽게 생각하는 분야였다. 사법서사 시험 때 지겨울 정도로, 지겨울 정도라고 말하면 지나치겠지만, 상법 총칙은 어지간히 공부했기 때문에 사법고시용으로는 따로 특별하게 공부하지 않았지만, 다른 수험생들보다는 훨씬 유리했다.

'바로 여기야, 여기서 점수를 한껏 따야 해……'

기본적인 것부터 정확하게 기술해나갔다.

그것으로 첫날 시험이 끝났다.

'이런 시험을 앞으로 이틀이나 더 봐야 하다니……'

돌아오는 기차에서 나는 잠에 곯아떨어졌다. 종점인 우메다 역에서 차장 아저씨가 두들겨 깨울 때까지 세상 모르고 잤다.

이틀째 시험, 오전이 형법이었고 오후에는 법률 선택과목이었다. 오전 시험이 끝나고, 나는 오후 시험에서 국제사법을 선택했다.

그런데 오전에 치른 형법에서 큰 실수를 했다는 걸 바로 그날 알게 되었다. 점심시간에 식당에서 밥을 먹고 있으려니, 옆자리에 앉은 수험생들이 답안에 대한 이야기를 나누고 있었다.

나는 점심시간이나마 시험 얘기는 듣고 싶지 않아 신경을 다른 곳으로 돌리려고 애썼다. 함께 앉은 친구에게 기온 축제 이야기를 꺼냈다.

그러나 듣지 않으려고 하면 할수록 옆자리의 대화가 귓속을 파고들었다.

"아까의 그 사례 문제, 사기죄 성립이지?"

"물론이지."

"의외로 간단한 문제였어."

"다른 해보다는 쉬운 편이었지."

"그런 문제는 다른 사람들도 다 풀었을 거야."

"과연 모의시험에서 매번 성적 우수자로 뽑히시는 분의 말씀은 다르네."

"뭐, 그럴 것까지야, 하하하."

나는 그 자리에서 딱 굳어버리고 말았다.

'사기죄 서, 서, 성립?'

나는 당당하게 게다가 아주 자신 있게 '성립 불가' 쪽으로 써냈던 것이다.

'아아, 안 돼…… 어쩌지?'

그렇게 발을 동동 굴러봐도 이미 잔치는 끝난 후였다.

'아, 다른 과목에서라도 점수를 벌어야 할 텐데…….'

다음 과목에서 쉬운 문제가 나오기를 빌고 빌었지만, 세상 일이란 그렇게 뜻대로 되는 것이 아니었다.

국제사법 문제도 어떤 대목을 어떻게 붙잡아 답을 써야 할지, 도대체 질문이 무엇인지 아리송하기만 한 문제였다. 물론 내 실력이 모자란 탓이었지만, 여간 낙담이 아니었다.

'글렀어. 내일 시험을 아예 포기할까? 시험 보면 뭘 해, 이미 건너간 물인걸…….'

포기하고 싶은 마음이 다시 엄습해왔다.

나는 그 '저주받은' 포기라는 말을 날려버리려고,

—합격

두 글자만 머릿속에 자꾸 쓰고 또 썼다.

삼일째 시험, 마지막 과목인 민사소송법 시험을 치렀다. 이제 마지막 시험이었다. 전날 실수했다는 게 상당한 압박이 되었다. 두 문제가 다 극히 기본적인 사항을 묻는 것이었다. 이런 문제는 특히 주의하지 않으면 안 된다. 잘 써냈다고 좋아해봤자 다른 사람도 마찬가지이기 때문에 예상했던 정도의 점수를 따내지 못하는 경우가 많다. 나는 신중하게 답안 구성을 하고, 하나하나 정성껏 논증하도록 만전을 기했다.

길고 긴 삼일간이 끝났다.

'아아, 드디어 끝났다…… 끝났다기보다는 끝나고 말았다는 느낌이야. 형법 문제는 실수해버렸고…… 아, 어째서 답을 좀더 신중하게 생각하지 못했을까, 정말 한심해. 내일부터 어떻게 하루하루를 보내야 할지…….'

논술시험이 끝난 뒤 합격자 발표일까지 두 달여의 기간이 있었다. 그 기간을 어떻게 보내야 할지가 고민이었다. 5월에 치른 객관식 시험에서 불합격한 사람들은 벌써부터 내년 시험을 목표로 객관식과 논술시험 공부를 하고 있었다. 그리고 논술시험에 떨어질 것이 확실한 경우의 사람이라면, 일찌감치 내년 시험에 대비해서 공부를 시작하면 되었다.

그에 비해, 합격했는지 어쨌는지 알 수 없는 대부분의 수험생들에게는 무슨 공부를 해야 할지 알 수 없는 애매한 기간이었다. 만약 합격이라면 10월에 닥칠 면접시험 공부를 해야 하고, 불합격이라면 내년 시험을 목표로 다시 공부를 시작해야 했다. 면접시험과 객관식-논술시험은 공부 방법이 다르기 때문에 고민에 빠지지 않을 수 없었다. 수험생들 중에는 이 기간을 여름방학으로 여기고 오래간만에 마음껏 쉬는 사람도 있는 모양이었다.

　그러나 내게는 그럴 여유가 없었다. 어떻게든 이번에 합격해야 했다. 나는 딱 하루를 푹 쉬고는 그 다음날부터 즉시 면접시험 공부에 들어갔다.

포기하지 말자

　시험이 끝난 지 몇 주일 뒤, 다니던 학원에 들렀다. 교실을 들여다보니 내년을 대비한 객관식 시험용 수업이 진행되고 있었다. 나는 자습실로 향했다. 답안 연습회에서 함께 공부했던 사람들 몇몇이 모여 이번 논술시험에서 각자 써낸 답안을 교환하고 있었다. 다른 사람들이 어떤 답안을 써냈는지 궁금해서 나도 답안 하나를 받아들었다.

　집에 돌아와 읽어나가는 내 등에 식은땀이 주욱 흘렀다.

　'뭐, 뭐야, 이게? 내 답안과 완전히 다르잖아…… 아, 이

렇게 기술했어야 하는 거였나……'

후회가 밀려들었다. 답안을 괜히 받아왔다는 생각이 들었다. 그러나 이미 때는 늦었다…… 이미 본 걸 안 본 걸로 치워버릴 수는 없었다…… 기운이 쭉 빠졌다. 면접시험 공부를 하려 해도 집중이 되지 않았다. 그러고 있을 때 오히라 씨의 전화가 걸려왔다.

"발표까지 이제 얼마 안 남았구나."

"………."

"왜 그러니?"

"안 되겠어요……."

"뭐가?"

"시험, 떨어질 것 같다구요."

"어떻게 그걸 벌써 알아?"

"다 알아요."

"무슨 말이냐?"

나는 불합격이라고 생각하는 이유를 설명했다.

그러자 오히라 씨는 안심했다는 듯이 말했다.

"나는 또, 벌써 발표가 난 줄 알았네. 정식으로 발표한 건 아니지?"

"예……."

"그럼 아직 모르는 일이지."

"발표하나마나, 그 사람들은 모의시험 때마다 성적 우수

자로 뽑히던 사람들이고, 올해 꼭 합격할 거라고 자타가 공
인하는 사람들이에요."

"그래도 사법고시란 건, 여러 가지 설의 입장에 서서 답을
써도 되는 거 아니냐?"

"그야 그렇죠. 근데 제 말은 그런 게 아니에요. 문제에 따
른 답을 써야 하는 건데, 그 포인트가 완전히 틀렸다구요."

"………."

"이제 끝이에요……."

"그런 소리 말고, 합격 발표까지 기다리자."

"아이구, 아저씨는 정말 속 편한 소리도 하시네요."

일부러 걱정이 되어 전화해주었는데, 다시 엉뚱한 화풀이
를 하고 말았다. 아무리 세월이 흘러도 내 버릇은 고쳐지지
않는다…….

그래도 오히라 씨는 나를 위로해주었다.

"침착하게 잘 따져봐, 사법고시생답게."

"………."

"그 사람들은 언제부터 성적 우수자였는데?"

"언제부터라뇨, 글쎄 한 이삼 년 전부터였을 거예요."

"그렇담, 왜 이삼 년 전에 합격을 못 했지?"

"………."

"그 사람들과 네가 서로 다른 답을 썼다고 치자, 그런데
꼭 네 쪽에서 잘못 썼다고 누가 그래? 그리고는 마음대로

불합격이라고 단정을 내려버리는 건 뭐야? 이상하잖아."

"………."

"뚜껑을 열어보기 전에는 모르는 거야. 마지막까지 포기해서는 안 돼."

"………."

"그리고, 지금 나한테 한 말, 아버지 어머니에게는 해선 안 된다."

"네…… 알았어요. 미안해요, 아저씨."

'뚜껑을 열어보기 전에는 알 수 없다…… 그래, 아저씨 말씀이 맞는지도 몰라…… 포기하지 말고 다음 시험에 대비하자…….'

나는 발표일까지 아무 생각 말고 면접시험 공부에 몰두하기로 결심했다.

논술시험 합격자 발표는 9월 하순에 있었다. 교토 대학에서 시험을 치른 수험생들은 교토 지방검찰청 게시판에 합격자 명단이 나붙는다. 게시판은 폭이 좁고 네모난 상자처럼 생겼는데, 앞면에 유리를 붙이고 뒤쪽을 여닫게 되어 있었다.

나는 발표 한 시간 전에 검찰청 앞에 도착했다. 벌써 수험생들이 몇몇 와 있었다. 내 번호가 붙게 될 장소를 대충 짚어서 그 앞에 섰다. 점점 사람들이 몰려들었다. 가랑비가 흩

뿌리던 그날, 검찰청 게시판 앞에 커다란 우산 꽃이 피었다.

'1935번, 제발 적혀 있기를……'

수험표를 꼭 움켜쥐고 기다리며, 나는 간절히 빌었다.

객관식 시험을 간사이 대학에서 본 사람들은 〈수이타〉 란에 번호가 적히고, 그 아래로 이어지는 〈교토〉 란에는 객관식 시험도 교토 대학에서 치른 사람들의 번호가 적히게 되어 있었다. 객관식 시험 때 맨 끄트머리에 내 번호가 있었기 때문에, 만약 합격하게 되면 〈교토〉라는 지역 표시 글자 바로 위에 내 번호가 있을 것이었다. 객관식 시험 합격자 발표 때, 앞 번호부터 찾느라고 진땀을 뺀 경험이 있었기 때문에 이번에는 내 번호가 적혀 있을 만한 곳을 겨누고 있다가 단번에 찾아내기로 했다.

발표 1분 전, 담당자가 펄럭거리는 큼지막한 종이를 들고 청사에서 나오는 모습이 보였다. 들고 있던 우산을 접고 운명의 시간을 기다렸다. 가랑비가 얼굴을 톡톡 때렸다…….

'드디어, 드디어 발표다…… 먼저 〈교토〉라는 글자부터 찾아야 해…….'

심장이 갑자기 급하게 뛰기 시작했다. 담당자가 게시판 뒤쪽의 여닫이 문을 열고 종이를 안에 넣었다. 그 순간, 수험생들의 눈길이 그 종이에 가 박혔다. 그와 동시에 뒤쪽에 있던 사람들이 한 걸음이라도 더 앞으로 나오려고 우우 밀고 들어왔다. 맨 앞에 서 있던 나는 유리판에 손을 짚고 힘껏 버텼지만, 사람들에 밀려 오른쪽 뺨이 철썩 유리판에 들러붙었다. 얼굴을 움직일 수가 없었다…….

그러나 질소냐 하고 얼굴이 유리판에 붙은 채로 옆눈으로 종이의 글자들을 바라보았다. 〈교토〉를 찾았다. 순간 〈교토〉라는 글자와 함께 그 바로 위에 있는 숫자가 눈에 들어왔다.

—1935

분명하게 보였다! 다시 한 번 또박또박 확인했다.

—수이타의 1935번

'있다. 있다. 있어…….'

나는 사람들 틈을 헤집고 가까스로 빠져나와 검찰청 안으로 뛰어들어갔다.

수위 아저씨에게 들뜬 목소리로 물었다.

"죄송합니다. 공중전화 좀 쓸 수 있을까요?"

수위 아저씨는 아이구 어서 쓰시라며 공중전화가 있는 곳까지 안내해주었다.

수화기를 든 손이 부르르 떨려왔다. 떨리는 손으로 동전을 집어넣고 버튼을 눌렀다.

"여보세요."

어머니였다.

"엄마…… 있어!"

"뭐?"

"내 번호가 있어. 합격했어!"

"정말?"

"정말……."

"정말?"

"정말이야…… 엄마……."

"장하다…… 장해……."

엄마도 나도 너무나 감격해서 그 이상의 말이 나오지 않
았다. 나는 겨우 말했다.

"아빠한테도 말해줘. 지금 바로 집에 갈 거니까."

전화를 끊고, 오히라 씨에게 전화를 했다.

"아저씨, 있어. 제 번호가 있어요. 합격했어요……."

"정말이냐? 합격이야?"

"네, 합격해버렸어요!"

"아버지 어머니께 알려드렸지?"

"네, 벌써 전화했어요."

"좋아들 하시지?"

"네…… 네……."

나는 가슴이 꽉 메어와 말이 나오지 않았다.

"얼마나 좋아하셨겠니, 잘했다, 잘했어. 어서 집에 가서 인
사부터 드려야지. 이쪽에도 빨리 얼굴 좀 보여주고."

"네, 바로 갈 거예요."

"정말 잘해냈다. 애썼어. 다른 사람들에게도 연락해두마."

아저씨는 진심으로 함께 기뻐해주었다.

전화를 끊고, 수위 아저씨에게 고맙다는 인사를 드리자 수위 아저씨도 축하해주었다.

"축하합니다. 잘됐군요."

기뻤다. 정말 기뻤다. 나는 기쁜 대로 마음껏 기뻐했다.

"고맙습니다!"

나는 그렇게 외치고 발표장을 뒤로 했다.

면접시험까지 앞으로 이 주일. 면접시험은 대부분의 수험생이 합격하고, 떨어지는 사람은 약 10퍼센트였다. 떨어지더라도 다음해에 한해서 객관식 시험과 논술시험이 면제된다.

'거의 다 왔어. 이제 조금만 더 하면 돼…… 여기까지 왔으니 어떻게든 합격해야지. 면접시험이니까 얼굴 표정도 중요해…… 그렇다고 너무 실없이 웃어도 안 될 테고…… 그것 참, 어렵네.'

면접시험도 시험이니까 무엇보다 대답 내용이 중요하다는 것은 잘 알지만, 인상도 중요할 것 같아 자꾸만 쓸데없는 궁리에 빠져들었다.

객관식 시험이나 논술시험과는 달리 구두로 대답해야 하기 때문에 머리로 아무리 확실하게 이해하고 있더라도 적당한 말로 설명하지 못하면 아무 의미가 없었다. 나는 내가 시험위원이 되었다고 치고 혼자 질문하고 혼자 대답하는 식으로 연습을 반복했다.

반찬거리를 사러 근처 슈퍼마켓에 나갈 때도 혼자 중얼중얼 연습했다. 그런 내 꼴을 보고 이웃 언니가 조심스럽게 인사를 건넸다.

"미쓰요, 잘 지내니?"

"어머, 깜짝 놀랐네!"

"깜짝 놀란 건 내 쪽이야. 뭘 혼자 중얼중얼 하고 다니니?"

"응, 좀 생각할 게 있어서, 헤헤."

"생각?"

"별일 아냐."

"그래…… 그렇다면 다행이다만…….."

"괜찮아, 괜찮다니까."

그냥 무턱대고 괜찮다고만 둘러댔다. 분명 머리가 좀 어떻게 되었나 보다고 생각했을 것이다.

나말고도 슈퍼마켓에는 중얼중얼 혼잣말을 하는 사람들이 가끔 있다. 대 바겐세일이라는 팻말이 붙은 매장 앞에서 중얼거리는 사람들.

"어머, 카레가 백육십팔엔? 싸다, 싸. 냉장고에 양파하고 감자가 있고, 고기는 냉동실에 있으니까 오늘 저녁은 카레로 할까. 어라, 시금치가 한 다발에 구십팔엔? 이것도 싸잖아. 그럼 샐러드 대신 시금치 무침으로 할까…….."

나도 곧잘 그렇게 중얼거리곤 하지만, 그런 정도의 혼잣말에는 아무도 신경 쓰지 않는다.

그러나 정육점 앞에서 진열된 고기를 만지작거리며,

"간접정범(間接正犯)의 의의를 말하시오. 넷, 간접정범이란 이용자가 피이용자를 도구처럼 이용하여 범죄를 실행하는 것을 말합니다. 흠, 잘했어요. 그럼, 어떠한 분쟁의 경우가 있습니까. 넷, 실행 착수 시점의 분쟁이 있습니다."

이렇게 중얼거린다면 역시 누가 보더라도 정신상태를 의심받기 십상일 터였다.

'아무래도 좀 이상하게 보이겠지? 밖에 나와서는 되도록 중얼거리지 말아야겠다⋯⋯.'

10월, 도쿄의 법무 종합연구소에서 면접시험이 치러졌다. 각자 지정된 날에 지정된 과목을 수험한다. 내 첫 과목은 민법이었다. 시험위원은 주임위원과 부위원 두 분인데, 주임위원이 중심이 되어 수험생에게 질문을 던졌다.

"은급(恩給)이란?"

"예? 은급 말입니까?"

"그래요, 은급이 무엇을 말합니까?"

'이게 지금 민법 시험 맞지? 어째서 민법에서 은급에 대한 질문이 나오지?'

"네, 전쟁에 출전했던 사람들이 받거나 하는 것을 말합니다."

　설명이랄 수 없는 대답을 우선 둘러대자, 시험위원은 다음 질문을 던졌다.

　"좋습니다. 그러면, 은급을 담보로 하여 돈을 빌리거나, 채권자가 그것을 차압할 수 있습니까?"

　'이거라면 알겠다. 은급은 차압 금지 채권에 해당되는 거야……'

　나는 자신 있게 대답했다.

　"불가능합니다."

　그러자, 곧바로 다음 질문이 떨어졌다.

　"그렇다면, 다음달에 은급이 지급될 예정인데, 이번 달의 생활비가 궁한 경우에는 어떻게 하면 좋습니까?"

　"예에?"

　"어떻게 하겠습니까?"

　"저, 돈…… 돈을 빌리지 않으면 안 됩니다."

　"담보 없이는 빌려줄 수 없다고 한다면? 은급 외에는 아무것도 소유한 게 없을 경우는 어떻게 하겠습니까?"

　'아이쿠, 큰일났네. 뭐라고 대답해야 좋을지 모르겠어. 그렇지만 입을 다물어버리면 그걸로 끝장이야. 어떻게든 대화를 이어가야 해.'

　"네에, 그러니까 돈이 없으면 아무것도 살 수 없고, 그러면 곤란하게 됩니다…… 그러니까……"

"그렇습니다. 곤란하겠지요. 당신이라면 어떻게 하겠습니까?"

"담보가 없더라도 빌려주십사고 끈기 있게 교섭하겠습니다."

"하하하, 그것도 하나의 방법이기는 하겠습니다만, 좀더 법률적인 방법은 없겠습니까?"

'법률 시험에서 사실론으로 대답하는 멍청한 수험생을 상대해야 하는 선생님들도 힘깨나 드시겠구나. 아차, 지금 내가 남의 일처럼 이런 생각을 하고 있을 때가 아니지…… 그렇지만 법률적인 방법이라니, 뭐라고 해야 하지?'

"돈이 없으면 먹고살 수 없을 것이고…… 아…… 어떻게 할까…… 그러니까…… 아…… 음……."

역대 총리대신 중에 '아…… 음……'이라고 어떻든 말은 이어가면서 그 틈에 대답을 궁리한다는 분이 있었는데, 똑같은 흉내를 내보아도 처음부터 지식이 없는데 생각이 떠오를 턱이 없었다. 더 이상 기다려봤자 별수가 없겠다고 생각했는지, 시험위원이 구조 보트를 넌지시 띄워주었다.

"대리 수령(代理受領)이라는 말을 들어본 적이 있습니까?"

그러나 '대리 수령'이라는 말은 그때까지 들어본 적도 없었다. 용어에서 대충 무엇인지 짐작은 갔지만, 자칫 아는 척하고 얼렁뚱땅 대답했다가 모처럼 보내준 구조 보트가 진흙

탕에 처박히는 꼴이 될 수도 있었다.

나는 정직하게 대답했다.

"들은 적 없습니다."

그러자 시험위원은 차근차근 설명해주며 말했다.

"이번 시험을 기회로 대리 수령이라는 용어의 의미를 알아두시기 바랍니다."

그날의 시험은 그렇게 끝났다. 시간으로 쳐서 15분. 10월도 중반에 접어든 날씨이건만 내 몸은 흠뻑 땀에 젖어 있었다.

'아, 못 말려. 첫날부터 이런 꼴이니 앞일이 뻔해…… 애써 공부한 건 하나도 안 나왔어. 그렇게 열심히 연습했는데…… 다른 과목도 그럴 게 아닌가…… 앞으로 닷새간이나 이런 시험을 버텨야 하다니…… 아이구, 끔찍하다…….'

짐작했던 대로, 다른 과목에서도 거의 비슷한 상황으로 면접시험이 이어졌다.

최종 합격자 발표는 10월 28일, 도쿄 가스미가세키 법무성 게시판에 내걸린다. 거기까지 보러 갈 수가 없어서 면접시험을 치를 때에 전보를 부탁해두었다. 다섯시…… 10분, 15분, 20분…… 아무리 기다려도 전보가 오지 않았다…… 그때 인터폰이 울렸다.

'왔다, 왔어, 왔어…….'

전보가 온 줄 알고 한달음에 문을 여니, 말끔한 외판원이서 있었다.

"저흰 아무것도 필요 없어요. 그럼, 안녕히……."

당연히 우체부 아저씨일 거라고만 생각하고 문을 열었던 나는 엉뚱한 사람을 보고 깜짝 놀라 말도 맺기 전에 문을 닫았다.

마음이 가라앉지 않았다. 기다리다 지쳐 전보를 의뢰했던 곳에 전화를 걸었다.

"저, 오늘 사법고시 합격자 발표지요?"

"예, 그렇습니다만."

"거기에 전보를 부탁했었는데요."

"네."

"아직 전보가 안 와서요."

"일곱시쯤에는 도착할 거예요."

"예? 이, 일곱시? 그때까지 기다려야 돼요?"

"알겠습니다. 제가 지금 알아볼 테니, 번호를 알려주시겠습니까?"

"595번이에요."

"잠깐만 기다려주세요."

대기 음악 소리가 울렸다.

'왜 이렇게 오래 걸리지? 혹시 번호가 없어서? 그래서 차마 알려주기 불쌍해서 미적거리고 있는 걸까…….'

좋지 않은 상상만 떠올랐다. 시간으로 따지면 1분 남짓이

었을 텐데, 너무도 길게 느껴졌다.··

"오래 기다리셨습니다. 합격입니다."

"옛? 정말이에요?"

"네, 축하드립니다."

"정말 대단히 감사합니다."

'됐다, 됐어, 됐어. 그렇지, 아빠에게 전화해야지. 그리고 아저씨한테도……'

그렇게 생각하며 수화기를 놓자마자 전화가 울렸다. 어머니였다.

"미쓰요, 어쩐 일이니? 아까부터 몇 번이나 전화했는데, 신호음은 가는데 전화를 받지 않아서 이번에도 안 받으면 직접 가볼 참이었어."

내 전화는 캐치폰으로 해놓아서, 통화중에도 신호음이 울렸다. 아무리 전화를 해도 받지 않자 무슨 일이 있는 게 아닌가 걱정하신 모양이었다.

"엄마, 미안, 미안. 도쿄에 전화했었어. 캐치폰이 들어온 건 알았지만, 중요한 통화라서……"

"도쿄?"

"그래, 도쿄에 물어봤어. 합격이래!"

"뭐, 정말, 정말이냐?"

"정말…… 합격했대……"

"정말로 합격했단 말이지……"

"응……."

"잠깐 기다려라, 아빠 바꿀 테니까."

아버지가 전화를 받으셨다.

"미쓰요, 정말 해냈구나, 해냈어. 고생 많았다."

"응…… 응……."

"참말로 고생 많이 했다."

"응…… 응……."

"아빤 이제 여한이 없다……."

"무슨 말씀이세요…… 그런 말씀 하시면 안 돼…… 앞으로 삼십 년은 사셔야 해……."

"응, 살아야지…… 오래오래 살 거다……."

"진짜 약속했어요, 오래오래 사셔야 해……."

아버지도 어머니도 진심으로 기뻐해주었다.

부모님에게 합격을 알린 뒤, 오히라 씨에게 전화를 했다.

"아저씨……."

"미쓰요, 합격 축하한다!"

"예? 아직 아무 말도 안 했는데, 어떻게 아셨어요?"

"목소리 톤으로 다 알지."

"난 정말 너무 단순한가 봐요. 다 들킨다니까."

"그걸 이제야 알았니? 하하하."

"아저씨……."

"응?"

"지금까지 정말로 고마워요."

"뭐야, 너 왜 그러냐? 새삼스럽게 그런 말을 들으니까 되레 쑥스럽다. 평소 너 하던 대로 그냥 투덜거리지 않고. 아니면 삐지든지. 나한테는 아무래도 그게 더 편한 것 같아."

'지금껏 내가 공부를 계속할 수 있었던 건 다 아저씨 덕분이에요…… 정말 지금까지 아저씨한테 공연히 화풀이도 많이 했지요? 그 은혜는 두고두고 꼭 갚을게요…….'

"앞으로는 아저씨께 효도할게요."

"그런 건 안 해도 돼."

"왜요, 싫으세요?"

"아저씨는 괜찮으니까, 아버지 어머니께 효도해야 해."

"네."

"아버지, 이제 그리 오래 사실 것 같지도 않고……."

"젊은 사람처럼 진행이 빠르지는 않지만, 점점 이전되는 모양이에요……."

"조금이라도 시간 나면 자주 얼굴 보여드려."

"네, 그럴게요."

"어머니도 간호하느라 여간 고생이 많으실 테니까, 잘 보살펴드려야 하고."

"네."

오히라 씨는 언제나 아버지 어머니 일을 먼저 걱정해주었다.

저녁 일곱시가 조금 지나 전보가 도착했다.

―합격을 축하드립니다. 법무홍제회.

후회

결연

1995년 4월, 나는 사법연수생으로서 교토에 배속되었다. 스물아홉 살의 봄이었다.

그리고 이 년간의 사법연수도 거의 끝나가던 1997년 3월 중순 무렵, 아버지에게서 전화가 왔다.

"네 사법연수가 끝나기 전에 오히라 씨를 만나고 싶다만, 미쓰요 네가 연락 좀 해줄래?"

"아빠, 무슨 일인데. 아저씨는 왜? 무슨 문제라도 있으세요?"

"아니……."

"그럼 왜요?"

"오히라 씨에게 꼭 부탁할 일이 있어서."

"전화로 하시면 될 텐데요."

"직접 만나서 말하고 싶구나."

"아빠 병원 문제라면 걱정 안 하셔도 되는데."

"그런 거 아니다. 병원 문제가 아니고……."

"음, 그럼 연락할게요."

"그리고 오히라 씨 만나는 자리에 너도 오너라."

아버지가 무슨 일로 그런 자리를 마련했는지는 알 수 없었지만, 오히라 씨와 부모님 그리고 나, 네 사람이 한자리에 모이게 되었다. 호텔 안에 있는 요리집 별실. 은은하게 들려오는 가야금 소리를 들으며, 오랜만에 갖는 오붓한 시간이었다.

아버지는 마주 앉은 오히라 씨에게 천천히 말을 꺼냈다.

"오히라 씨, 마지막으로 부탁이 있어요."

"마지막이라니, 무슨 그런 말씀을…… 무슨 부탁인데요?"

"우리 미쓰요를, 오히라 씨의 자식으로 받아주십시오."

"예?"

아버지의 갑작스런 말에 오히라 씨도, 곁에 있던 나도 깜짝 놀랐다.

"양녀로 들여주셨으면 합니다."

"양녀라니요…… 귀한 외동딸 아닙니까, 어떻게 그런 일을……."

"아빠, 갑자기 무슨 말씀이에요?"

도무지 영문을 알 수 없었다.

'아빠는 여전히 나를 용서하지 못하신 걸까…….'

그런 생각이 스쳤다.

아버지는 가슴속에 오래 담아두었던 생각을 털어놓듯 천천히 얘기하기 시작했다.

"이 아이가 태어났을 때 참말로 좋았지요. 하도 좋아서, 이 세상 행복이란 행복은 전부 나 혼자 차지한 것 같습니다. 무슨 일이 있어도 이 아이만은 행복하게 해줘야지, 그런 다짐을 하면서 니시노미야 절에 가서 미쓰요라는 이름을 받아왔지요. 무슨 일이 있어도 이 아이를 지켜주고, 행복하게 해주겠다고 맹세했었지요. 그런데, 얘가 중학교 다닐 때, 저 혼자 그렇게 마음의 고통을 당하는데도 나는 그만 도와주지도 지켜주지도 못했습니다…… 이제부터라도 이애를 지켜주고 싶어요. 어떻게 해서든 지켜주어야지요."

'아빠…… 아빠…….'

나는 가슴이 꽉 메어왔다.

"나는 이제 그리 오래 남지 않았어요. 내가 살아서 앞으로 이 아이를 지켜줄 수가 없게 됐어요. 그래, 이렇게 머리를 숙이고 부탁을 드리는…… 제 어미와도 상의하고 그렇게 정했습니다……."

아버지는 눈물을 글썽였다. 어머니도 눈에 눈물이 그렁그렁했다.

아버지 어머니는 내 앞일이 걱정스러워 고민을 많이 한 모양이었다. 변호사가 되었다지만 내 옛날 일들이 알려지면 어떤 지장이 있을지 모른다…… 그런 일까지 생각한 것이다.

새삼 나 자신이 아버지 어머니에게 얼마나 소중하고 귀한 자식인지를 절감했다.

아버지와 어머니의 진심을 충분히 이해한 오히라 씨는 말했다.

"꼭 그렇게 하셔야 안심이 되신다면, 그리고 미쓰요도 좋다고 하면, 뜻대로 따르겠습니다."

그해 서른한 살의 봄, 나는 정식 변호사가 됨과 동시에 '아저씨'의 양녀가 되었다.

아빠, 나 이담에 다시

변호사 배지를 가슴에 달고, 나는 아버지 어머니와 함께 집 근처의 사진관으로 기념사진을 찍으러 갔다.

기념사진을 찍자고 했더니, 아버지는 몇 년 만에 굳이 정장을 입겠노라고 고집했다.

집에 있는 양복이라고는 아버지가 건강하게 일하던 시절의 양복뿐이어서 바지도 헐렁헐렁 윗도리도 헐렁헐렁…… 새양복 한 벌 맞춰드리고 사진을 찍고 싶었지만, 언제 건강상태가 악화될지 알 수 없는 상황이라 시일을 끌 수가 없었다.

"아빠, 그냥 평소 입던 옷차림이 낫지 않을까."

"안 돼. 평생 남을 건데 제대로 차려입어야지."

"그렇게 신경 쓸 거 없어요."

"안 돼, 안 돼."

"괜찮은데……."

"우리 미쓰요가 체면이 깎여서 안 돼."

아버지는 나를 위해서 꼭 정장 차림을 해야겠다고 해서, 바지가 흘러내리지 않도록 무슨 수를 내야 했다. 인공 항문을 달고 있었기 때문에 벨트로 조일 수도 없고, 어깨에 둘러 멜 멜빵도 없었다. 별수 없이 어머니가 기모노에 매는 허리끈을 바지 벨트 구멍에 끼워 어깨 위로 바지를 잡아올려 아쉬운 대로 흘러내리지는 않게 했다.

오래간만의 가족 나들이…… 아버지와 나, 어머니와 나, 이렇게 저렇게 몇 장을 찍어 앨범을 만들었다.

아버지 어머니는 틈날 때마다 그 앨범을 들여다보며 즐겁

게 담소하곤 했다.

"여기 좀 봐요. 여기, 미쓰요 양복 깃 위에."

"응, 변호사 배지가 선명하게 잘 나왔구먼."

"참 잘 찍혔지요."

"사진, 차암 잘 나왔다."

"정말 이렇게 잘 나온 사진 첨 봤다. 미쓰요, 니 아버지도 점잖게 잘 나왔쟈?"

"그런가?"

"그럼. 근데 니 아빠 볼이 어째 묘하게 불룩하지?"

"그러고 보니 정말 그렇네요. 아빠, 어떻게 하신 거예요?"

아버지는 암에 시달려 몸이 여위면서 볼이 몰라보게 움푹 패었다. 그 얼굴을 어떻게든 예전처럼 해 보이려고 집에서 미리 약솜을 준비해서 사진을 찍기 전에 입 안 가득 물고 계셨던 것이다. 사진 속에 등장하는 변호사의 부친이 조금이라도 건강한 모습으로 비치라고…….

아버지는 사진을 소중하게 간수하며 말했다.

"이걸 내 무덤에 가지고 갈란다……."

아버지는 정말로 흐뭇한 표정이었다.

'아빠 얼굴이 저렇게 환한 게 대체 얼마 만일까. 내가 어릴 때는 항상 저런 얼굴이셨는데…….'

어린 나를, 아버지는 눈에 넣어도 아프지 않다는 말 그대로 귀여워했었다.

쉬는 날에는 곧잘 동물원에 데려가곤 했다. 다카라즈카 패밀리랜드, 한신 파크…… 지금도 아버지 손을 잡고 다녔던 그 동물원들이 눈에 선하다.

동물 우리 앞에서, 하나하나 알려주던 아버지의 음성이 들리는 듯하다.

"저건 플라밍고라고 하는 거야."

"응, 플라밍고……."

"저건 공작. 날개를 쫙 펼치면 참 예쁘지."

"공작…… 햐아, 예쁘다!"

"잘 보이니, 미쓰요?"

"아니, 난 키가 작아서 잘 안 보여."

"그럼, 아빠가 잘 보이게 해줘야지."

아버지는 나를 번쩍 들어올려 목에 태워주었다. 놀기에 지친 나를 곧잘 업어주었던, 넓고 따뜻했던 아버지의 등.

내가 변호사가 되기만 기다리셨던 것일까, 변호사가 된지 얼마 안 되어서부터 아버지의 상태는 눈에 띄게 나빠져 갔다. 양쪽 다리가 두 배나 되게 부어올라 자리에 앉는 것도 쉽지 않았다. 이따금씩 심한 통증에 괴로워했다. 병원에서는 이제 더 이상 가망이 없다는 최후 통첩을 내렸다.

틈이 나는 대로 아버지 어머니 얼굴을 보러 집으로 갔다. 아버지가 원하는 것은 무엇이건 구하려 애썼다. 암에 좋다는 약이며 음식이 있다는 소리를 들으면 백방으로 수소문해서 집으로 가져갔다.

"아빠, 이 약 진짜 잘 듣는대."

"설명서를 보니 정말 좋은 약이겠구나. 미쓰요, 고맙다, 고마워."

"등허리는 안 아파요?"

"좀 아프구나."

"비벼주면 좀 나아요?"

"좀 낫지."

나는 이불을 걷어내고 아버지 등을 비벼드렸다. 아버지는 체중이 40킬로그램 이하로 떨어져 있었다. 뼈와 가죽…… 가슴이 너무 아팠다.

'그렇게 건장하던 아빠 몸이…… 이렇게 쇠약해졌어…… 아빠, 미안, 미안…… 다 내 탓이에요…….'

눈물이 뚝뚝 떨어졌다. 아버지와 이승에서 하루라도 더 함께 있게 해달라고 간절히 빌었다.

"미쓰요, 얘야 왜 그러니?"

"으응, 아무것도 아냐……."

"미쓰요."

"응?"

"아빠랑 약속할래?"

"네, 뭐든지 약속할게요."

"사람들 앞에서 절대로 눈물을 보여서는 안 돼. 너는 이제 변호사니까 아무리 자신이 괴로울 때에도 약한 모습을 보여서는 안 된다. 너를 의지 삼아 찾아오는 사람들은 너보다 더 큰 괴로움이 있어서 찾아오는 게 아니겠냐? 그런 사람들 앞에서 항상 꿋꿋하게 보여야지."

"응, 알았어요. 약속할게. 약속할 테니까 아빠도…… 오래오래 살아……."

잠깐이라도 틈이 나면 집으로 달려갔다. 아버지는 거의 매일 자리에 누워 신음하면서도 내가 왔다는 것을 알면 우선 내 건강부터 챙겨주었다.

"몸은 괜찮냐? 밥은 잘 먹고?"

몸상태가 조금 나은 날에는 곧잘 젊은 시절의 이야기를 들려주었다. 어린 시절에 첨벙거리며 놀았다는 강 이야기, 전쟁 때 죽어간 친구 이야기며 물자가 부족해서 고생했던 이야기, 이른 아침에 산소에 나갔다가 유령 비슷한 걸 맞닥뜨렸다는 이야기, 모두 외우고 있을 정도로 어릴 때부터 자주 듣던 이야기였지만 나는 고개를 끄덕여가며 아버지 이야기를 들었다. 젊은 시절의 옛 이야기를 할 때면 아버지는 그지없이 행복한 얼굴이 되곤 했다. 나는 그 얼굴을 더 오래도록 보고 싶어 자꾸만 옛날 얘기를 더 해달라고 재촉했다.

그러나 그것은 효도의 흉내일 뿐이었다.

세상을 떠나기 직전, 아버지는 이제 당신의 목숨이 꺼져 간다는 것을 아셨던지 나와 어머니를 베개맡으로 불렀다. 그리고 곧 꺼질 듯한 목소리로 말했다.

　"이 아빠는…… 좋은 아내하고…… 좋은 딸을 두어서, 참 말로 행복했다…… 정말 고맙다……."

　그것이 내가 들은 아버지의 마지막 목소리였다.

　그때 다시 한 번 내가 저지른 일들이 회한의 물결이 되어 숨막힐 듯 밀려들었다.

　아버지에게 어머니는 정말 좋은 아내였다. 악한 병에 시 달려 까다로워진 아버지에게 싫은 내색 한 번 하지 않고 열 심히 간호해준 아내였다.

　그러나 나는…… 좋은 딸이었던가.

　"좋은 딸이었다."

　아버지에게 그런 말을 들을 자격이 내겐 없었다. 내가 어 긋난 길을 걸으며 천방지축 날뛸 때 부모님은 얼마나 괴로 웠을까…… 얼마나 가슴이 아팠을까…… 제 손으로 목숨을 끊고 싶도록 괴로웠던 것은 내가 아니라 아버지 어머니였을 것이다.

　'내가 지금 해드리는 건 그저 효도의 흉내일 뿐이야. 참된 효도란, 자식으로 인해 마음 고생 하지 않게 해드리는 것, 걱정 끼치지 않는 것인데…….'

　후회했다. 다시 돌이킬 수만 있다면…… 다시 돌이킬 수만 있다면…….

누군가 소원 하나를 들어준다면, 나는 망설일 것 없이 다시 중학생 시절로 돌아가게 해달라고 할 것이다. 그렇게만 된다면 어떤 심한 왕따를 당하고 어떤 고통을 느끼더라도 견뎌내리라. 결코 자살 따위 어리석은 짓으로 부모를 슬프게 하지 않으리라. 아무리 고통스러워도 제 길을 벗어나는 짓을 하지 않으리라. 그런 회한이 너무도 절절하기 때문이다.

아버지는 1998년 2월에 숨을 거두셨다. 향년 70세. 편안하게 잠든 아버지에게 나는 물었다.

"아빠, 나 이담에 다시 태어나면, 다시 한 번 아빠 딸로 태어나도 돼? 그때는 절대로 아빠를 슬프게 하지도 않을 거고 애태우지도 않을게…… 응?"

그러나 이제 대답은 돌아오지 않는다…….

아무리 후회하고 또 후회해도, 끝나지 않는 가슴속 응어리로 남아 있을 뿐…….

어머니

아버지가 세상을 떠난 후 어머니는 혼자 지냈다. 나이 든 어머니가 혼자 지내는 게 걱정스러워 함께 살자고 몇 번이나 권했지만, 어머니는 아버지와 살던 집을 떠나고 싶지 않다면서 좀처럼 따라주지 않았다.

나는 시간이 허락하는 대로 어머니와 함께 식사하거나 쇼핑하러 나가곤 했다. 그러다 보니 점차 내 얼굴에 피곤한 기색이 드러났던 모양이었다. 되도록 피곤한 얼굴을 보이지 않으려고 어머니 앞에서는 명랑하게 행동했는데도 어머니는 당장 알아보았다.

"요즘 일이 밤늦게 끝나는 모양이구나?"

"아니, 그렇지도 않아."

"이렇게 자주 집에 오는 거, 힘들지 않어?"

"힘은, 무슨 힘이 들어."

"………."

"왜, 엄마?"

"나도 혈압이 높아서 혼자 사는 게 어째 좀 불안하다. 미쓰요, 너 사는 데로 가도 되겠니?"

"응?"

"함께 살았으면 하고."

"엄마, 진짜야?"

"응."

"그럼 당장 그렇게 해. 집은 금방 알아볼게."

"아이구, 급하기도 하다."

어머니는 내가 피곤해하는 것을 보고 함께 살 결단을 내린 게 틀림없었다. 나는 당장 어머니와 함께 살 준비를 했다.

그 무렵, 요미우리 TV 방송국에서 다큐멘터리 방송에 출연해달라는 제의가 들어왔다. 참 많이 고민했다. 할 수만 있다면 어머니와 둘이서 조용히 살고 싶었다. 그냥 아무 말 하지 않고 있으면 변호사로서 어느 정도의 생활은 보장될 것이고, 평온하게 살 수 있었다. 이제 새삼스럽게 과거의 일을 들쑤석거리는 건 정말 싫었다…… 지난 일은 모조리 뚜껑을 딱 덮어 치워버리고 싶은데…… 내키지 않았다.

어떻게 거절할까, 이리저리 고민하던 끝에 어머니와 상의했다.

"엄마."

"왜?"

"나보고 텔레비전에 출연해달래."

"텔레비전에?"

"내 과거 이야기도 다 나올 거야."

"과거 이야기?"

"응."

"………."

"거절하는 게 좋겠지?"

“……….”

“역시 거절할래.”

“……….”

“그래, 이 얘긴 이걸로 끝이야.”

“나가도 괜찮지 않겠니?”

“응?”

“나가렴.”

“나가라니, 자살 소동을 벌인 거며, 폭력조직에 관계했던 거며, 이제까지 내가 저지른 짓거리들이 다 알려질 텐데. 모두 말야.”

“괜찮아.”

“그렇게 되면 내가 남들한테 창피한 건 고사하고, 엄마까지 사람들 손가락질을 받을지 몰라…….”

“미쓰요, 넌 이제 자신만을 위해서 살아온 지난날들과는 다르게 살아야 할 것 같아. 이제 너 자신을 위해서는 충분히 할 만큼 했잖니.”

“그렇지만…….”

“텔레비전에 나오는 네 얘기를 보고, 지금 어디선가 자살하려는 애들이 단 한 명이라도 마음을 돌려준다면 얼마나 좋은 일이니. 그 아이들이 너를 보고 용기를 내어 노력한다면 그것으로 좋지 않겠니…….”

“……….”

"미쓰요, 네가 이렇게 훌륭한 변호사가 된 건 오히라 씨처럼 너를 격려해주고 힘을 주신 분들이 있었기 때문이잖니. 엄마는 괜찮아. 내일이라도 방송국 사람들한테 좋다고 대답하는 게 어떻겠니."

"엄마……."

내가 어머니에게 이번 일을 상의한 것은, 어머니는 분명 반대할 거라고 생각했기 때문이었다. 항상 세상 이목에 마음을 쓰는 어머니가 구태여 창피를 무릅쓰는 일에 찬성해줄 리 없다고 생각했다. '어머니가 반대하면, 나는 망설임 없이 거절할 수 있다.' 그런 마음이었다.

그러나 아니었다. 어머니는 자신도 창피를 무릅쓰게 될 것을 알면서도 방송 출연을 권했다.

'정말 부끄러워…… 내게 용기가 없는 걸 엄마를 핑계 삼아 거절하려고 생각하다니…….'

어머니의 말을 듣고, 나는 출연하기로 결심했다.

1998년 11월, 어머니와 함께 살기 시작했다. 어머니와 한 지붕 밑에서 사는 게 십칠 년 만이었다. 어머니도 나도 서로 신경을 쓰게 된다. 아무래도 마음이 편치 않았다. 저녁 때 집에 돌아오면 어머니는 앉아서 책을 읽다가도 벌떡 일어나 맞아주었다.

"어서 오너라."

"다녀왔습니다."

"힘들었지?"

"응."

"고생했다."

"엄마, 나 땜에 일부러 일어나실 거 없어."

"그렇지만, 하루 종일 일하느라 고생하고 왔는데……."

"난 괜찮아. 엄마가 그렇게 마음 쓰면 내가 되레 불편해."

"그치만……."

내가 집에 돌아올 때마다 지친 얼굴을 하고 있었는지도 모른다. 그래서 어머니가 신경 쓰이나 싶어, 나는 현관문을 열기 전에 기분을 싹 바꾸고 문을 열자마자 항상 웃는 얼굴을 보이도록 조심했다.

어머니와 살기 시작한 지 약 일 년이 지날 즈음에야 겨우 함께 생활하는 게 익숙해지는 것 같았다. 저녁을 먹고 나서 방바닥에 함께 드러누워 텔레비전을 보고 있으면 어느새 어머니의 코 고는 소리가 들린다.

'엄마, 여기서 자다가는 감기 들어…….'

흔들어 깨우려다가 어머니 얼굴을 가만히 들여다보면 편안한 표정으로 쿨쿨 자고 있다.

'참 기분 좋게도 주무시네…….'

나는 이불장에서 모포를 꺼내 어머니에게 덮어준다.

그리고 문득 생각했다.

'엄마. 사실은 아버지랑 살던 그 집에서 계속 살고 싶었구나. 수십 년의 추억이 담긴 그 집…… 나는 걱정된다는 내 생각만 하고 무리하게 엄마를 모셔왔는데, 과연 이게 잘한 일일까. 엄마가 아는 이들도 없는 타향에서 쓸쓸하지는 않으실까…….'

어머니가 바라는 것은 무엇이든 하고 싶다. 함께 백화점에 가고, 여행도 가고, 언제나 어머니의 웃는 얼굴을 보고 싶다…… 그러기 위해서는 어떤 노력도 아끼지 않으리라. 진정으로 효도하고 싶다.

그러기 위해 무엇보다 우선 해야 할 일은, 어머니에게 걱정을 끼치지 않고 마음을 편안하게 해주는 일일 것이다. 그리고 어머니보다 오래 사는 것. 이렇게도 평범한 것을 그저 평범하게 해드릴 수 있다면 더 바랄 것이 있을까.

글을 마치며

십일 년 전, 새 출발을 하리라고 결심한 내게 오히라 씨는
이런 글귀를 보내주셨습니다.

지금이 바로 출발점

인생이란 하루하루가 훈련이다
우리 자신을 훈련하는 터전이다
실패도 할 수 있는 훈련장이다
살아 있음이 흥겨운 훈련장이다

지금 이 행복을 기뻐하지 않고
언제 어디서 행복해지랴
이 기쁨을 발판 삼아 온 힘으로 나아가자

나의 미래는
지금 이 순간 이곳에 있다
지금 여기서 노력하지 않고, 언제 어디서 노력하랴

교토대선원(京都大仙院) 오제키소엔(尾關宗園)

A5 사이즈 용지에 적힌 이 글은, 오히라 씨가 경영하는 설비회사의 응접실에 걸려 있던 액자를 축소 복사한 것이었습니다.

새 삶을 살아보자고 결심한 내 마음에 빨려들듯이 들어온 귀절,

─지금이 바로 출발점.

때로는 벽에 붙이고 때로는 손에 들고 정말 수없이 읽었습니다. 손때에 더럽혀져 너덜너덜해진 그 종이쪽을 나는 지금도 소중하게 간직하고 있습니다.

이 글귀를 받은 지 구 년 만에 나는 변호사가 되었습니다.

240

현재 나는 오사카 변호사회 소속 변호사로 활동하고 있습니다.

틈틈이 강연도 다닙니다. 내가 경험한 일들을 듣고 누군가 한 사람이라도 자살을 단념한다면, 혹은 비행으로 내달리는 건 후회의 날들을 쌓아가는 일일 뿐이라는 걸 깨달아준다면, 또한 새로운 삶을 꿈꾸는 청소년들이 있었으면 하는 바람에서입니다.

일정이 맞지 않아 부득이 거절할 수밖에 없는 경우도 있고, 애써 강연에 나서도 짧은 시간에 내 생각의 반도 전달하지 못하는 일도 있습니다.

뭔가 좋은 방법은 없을까 궁리하던 참에, 고단샤에서 출판을 제의해왔습니다. 선뜻 받아들이기는 했지만, 내 생각을 문장으로 옮기는 일은 상당히 어려웠습니다. 나 이외의 사람들의 프라이버시에 주의를 기울여야 했기 때문에 기술에 한계가 없지 않았고, 특정한 사람에게 상처를 입힐 우려가 있어 심사숙고를 해야 했습니다. 그러나 그 모든 점을 고려하면서도, 내가 정말 하고 싶은 말은 모두 할 수 있을 것 같아 작업을 지속했습니다. 무엇보다도, 당시 내게 있었던 일들을 그 당시의 감정 그대로 전달하려고 노력했습니다.

전체적으로 글쓰기가 능숙하지 못한 상태에서 원고를 전달하게 되어, 관계자 여러분께 폐가 많았습니다. 이 자리를 빌려 미안함과 감사의 말씀을 전하고 싶습니다.

그리고 이 책을 읽고 있는 당신에게.

만약 지금 당장 죽어버리고 싶다는 생각이 찾아든다 해도, 결코 생명을 끊는 짓은 하지 말기를 바랍니다. 죽어도 지옥이고, 운좋게 살아난다 해도 다시 일어서기까지가 또 지옥이므로. 지금 당신에게 찾아든 괴로움이나 슬픔은 결코 영원한 것이 아니며, 언젠가는 반드시 해결됩니다. 부디 긍정적인 자세로 희망을 품고 살아가기를 간절히 바랍니다.

만약 지금 당신이 나쁜 길에 빠져들려 마음먹었다면 다시 한 번 생각하기를 바랍니다. 집이나 학교, 세상에 대한 분노와 불만을 나쁜 짓을 하는 것으로 해소하려고 해도 그것은 모조리 당신 자신에게 되돌아올 뿐입니다. 그것도 자신이 저지른 행위의 몇 배나 되는 엄청난 결과가 되어서. 부디 주위 사람들이 들려주는 말을 순수한 마음으로 받아들이기를 바랍니다. 당신의 인생도 다른 사람들의 인생도 소중하게 여기기를 바랍니다.

만약 당신이 이미 나쁜 길로 빠져버렸다면, 지금이라도 늦지 않습니다. 지금 바로 새로운 인생을 시작하십시오. 앞으로도 수많은 고난이 당신을 기다리고 있을지 모르지만, 당신에게는 그것을 견뎌낼 힘이 있습니다. 지금까지 당신이 당한 그 숱한 힘겨운 일도 있지 않았습니까. 하나하나 고난

을 뛰어넘어, 당신의 손으로 행복을 붙잡기를 바랍니다. 간
절히 바랍니다.

젊은 당신, 절대로 포기하면 안 돼!

내
가
아
는
오
히
라
미
쓰
요

고지마 미호(요미우리 TV 보도국)

오 년 전, 사법고시에 합격한 그녀에게 양부가 말했다고 한다.

"문신을 지우는 게 어떠냐?"

변호사라는 직함의 사회적 입장을 생각해서 그렇게 권유했다.

그녀는 그때 고개를 가로 저었다고 한다.

"지금까지의 일들을 전부 지워버리고, 아무 일도 없었던 듯이

시치미를 떼고 사는 건 옳지 않은 것 같아요. 과거에 내가 저지른 일들은 그대로

평생 짐 지고 가야죠. 그걸 등에 진 내가 이 세상에 도움이 될 일은 없을까.

그렇게 생각했어요. 그래서 지우지 않고 있었어요."

과거와 대면하는 강한 사람

고지마 미호(小島美穗. 요미우리 TV 보도국)

"특이한 삶의 이력을 지닌 여자 변호사가 있대."

이 년쯤 전이었던 것 같다. 당시 오사카 사법기자 클럽에 들렀던 나는 어떤 사람에게선가 그런 귀엣말을 들었다.

"중졸 학력에 자살미수 사건, 게다가 야쿠자 보스랑 결혼했다 이혼했대. 그러다 공부를 시작해서 단번에 사법고시 합격……."

세상에, 그런 여자가 정말 있을까 싶어 그때는 반신반의 하면서 흘려들었다.

몇 달 후에, 그 여자와 식사를 함께 하게 되었다. 그녀는 약속 장소인 레스토랑에 정확하게 시간에 맞춰 나타났다. 단

정한 감색양복 차림. 156센티인 나와 비슷한 키에 호리호리
하고 우아한 몸매였다.

"처음 뵙겠습니다."

옅은 화장에 테 없는 고급스런 안경, 지적인 분위기가 감
도는 얼굴이었다. 그녀는 처음 만난 내게 자신의 과거를 선
선하게 들려주었다. 이것저것 흥미로운 질문을 던지면서도
행여 그녀의 마음에 상처를 주는 건 아닐까 싶어 마음을 졸
였는데, 오히려 본인은 아무렇지도 않은 표정으로 말을 이
어갔다.

"그럼 다음에 또 뵙지요. 이제 법정에 가야 해요."

두 시간 정도 얘기를 나눈 후, 우리는 레스토랑 앞에서 헤
어졌다. 어린 소녀 같은 웃음이라고 표현하면 점잖은 변호
사님에게 실례일까, 그녀는 자전거에 깡충 뛰어올라 밤의
네온 불빛 자욱한 거리로 달려나갔다.

내 마음에 오래도록 남은 것은 그녀의 '특이한 이력'이 아
니었다. 오히려 지워버리고 싶은 과거와 때로는 웃음을 지
어가며 맞서는 '바로 지금의 모습'이었다.

그로부터 몇 번이나 식사를 함께 했을까. 첫 만남으로부
터 반 년이 흐른 뒤, 나는 오히라 씨의 인생을 담은 다큐멘
터리를 제작하기 시작했다.

오히라 씨의 법률사무소는 오사카 지방법원 부근 빌딩 숲

에서 멀리 떨어져서 엉뚱하게도 요도가와 강변의 소규모 공장들이 늘어선 한 귀퉁이에 있다. 그 조립식 건물이 법률사무소라고는 아무도 상상하지 못할 것이다. 그녀의 양부 오히라 히로사부로 씨가 경영하던 회사 부지에 세운 작은 조립식 건물. 함석지붕이 초록색인 건, 양부 오히라 씨가 좋아하는 색깔이기 때문이란다. 사무소를 개업하면서 그녀는 양부에게 이런 맹세를 했다.

"나는 이렇게 새 삶을 얻었지만, 세상에는 예전의 나와 똑같은 처지에 빠진 사람들이 아직 많아요. 그런 사람들에게 힘이 되어주고 싶어요."

변호사가 된 지 삼 년. 오히라 미쓰요 씨는 그 동안 칠십 명이 넘는 비행 청소년들을 담당해왔다. 사건을 저지른 청소년들을 면회하기 위해 소년원에 빈번히 드나든다. 그들의 성장 과정, 집안 사정은 참으로 다양하다. 학교에서 당한 왕따, 유년기에 겪은 학대 체험, 부모의 지나친 간섭, 지나친 보호…… 그들을 둘러싼 환경에 어떤 문제가 감춰져 있는가. 그것을 찾는 일은, 오히라 씨 자신의 과거와 마주 서는 작업이기도 하다.

"똑같은 냄새가 나요."

오히라 씨는 과거의 자신과 그들 사이의 공통점에 대해 그렇게 말했다. 학교나 가정에서 '어떻게 해볼 수 없는 망나니'라고 낙인 찍힐 만큼 황폐해진 아이들이라도, 그녀는 바로 이 '냄새'에 이끌려 갱생의 가능성을 찾아나간다. 그리고 그 가능성 위에서 어떤 처우가 그 아이에게 가장 바람직한가를 꿰뚫어보고, 가정법원에 의견을 제출한다.

취재를 시작한 지 두 달 후. 오히라 씨는 신나 사건으로 체포된 열일곱 살의 사토루(가명) 군을 담당하게 되었다.

그 역시, 이십 년 전의 오히라 씨처럼 고독한 소년이었다.

중학교를 중도에 그만두고 불량 그룹을 전전하면서 비행을 반복하는 그를, 학교에서도 가정에서도 되도록 멀리하려고 애썼다.

열흘 후면, 사토루에게 처분을 내릴 가정법원의 심판회가 열릴 예정이었다. 사토루에게는 소년교도소 송치 처분이 내려질 가능성이 높았다. 오히라 씨는 소년원에 수용된 사토루에게 몇 번이나 면회를 갔지만, 사토루는 여간해서 마음을 열려고 하지 않았다.

인간 불신―. 십대 소년에게 그 상처가 얼마나 깊은 것인지, 소년 이상으로 그 고통을 잘 아는 오히라 씨는, 소년이 어른들에게 마음을 열지 않는 것은 '어른들의 마음을 뻔히 다 알기 때문'이라고 한다. '나는 달라, 나는 너야', 그녀는 그렇게 마음으로 말하며 소년과 마주 앉는다. '어떤 일이 있어도 거짓말로 너를 속이거나 하지 않아, 가령 너에게 배신당한다 해도.'

소년원에서 면회를 거듭하는 사이에, 사토루는 눈가를 붉

히며 서서히 입을 열기 시작했다. 그녀는, 소년교도소에 가지 않고 다시 갱생할 기회를 받아낼 수 있도록 자신이 할 수 있는 일은 다 하겠노라고 약속했다.

"결국 소년교도소에 가는 결과가 나온다 해도, 누군가가 그 아이를 믿고 그를 위해 활동한다는 믿음을 주는 게 중요해요. 그러면 그 아이는 자신의 행위를 돌아보고 '바로 지금이 다시 일어서야 할 때' 라는 마음을 갖게 돼요. 그런 믿음을 주지 못하고 그냥 소년교도소에 넣어버리면 '나는 누구에게도 신뢰받지 못한다' '어차피 신뢰받지 못할 바에야 갈 데까지 가보는 거야' 하는 마음이 되고 말죠. 기회는 주어야 합니다. 그 기회를 잡느냐 못 잡느냐는 본인이 하기 나름입니다만……."

그녀는 사토루가 관심을 가질 만한 분야를 물어보고, 적절한 직장을 찾아주기 위해 동분서주했다. 그러나 비행 경력이 있는 청소년을 받아줄 직장은 그렇게 간단하게 찾아지지 않았다. 가까스로 숙식을 조건으로 써주겠다는 도장(塗裝) 회사를 찾아냈다. 결국 심판에서 사토루는 소년교도소 송치를 면했다. 직장에서 일을 하고 생활 환경을 바꾸는 것으로, 갱생을 기대하자는 관대한 처분이었다.

대부분의 경우, 소년 심판에서 변호사가 이리저리 힘을 써주는 것은, 처분이 결정되기까지에 한정된다. 그러나 오히라 씨는 말한다.

'승부는 그때부터'라고. 오히려 '처분 결정 후'가 가장 중요한 단계라고 말한다. 갱생을 굳게 맹세한 소년이라도, 지속적인 관심을 가져주는 사람이 없으면 오래잖아 다시 비행으로 내달리는 경우가 적지 않다는 것은 과거의 데이터가 증명하고 있다.

"스무 살이 되어 소년이 완전히 자립할 때까지는 안심할 수 없다"고 단언하는 오히라 씨는 직장이며 집에까지 찾아다니며 소년의 생활에 관심을 쏟는다. 소년교도소에 수용된 아이에게는 꾸준히 면회를 계속하며, 소년교도소 내의 운동회 같은 행사에 부모 대신 참석한다. 그녀의 활동은 거기에서 멈추지 않는다. 소년이 출소할 때에 맞춰, 소년이 자립하기까지 돌봐줄 가정과 직장을 찾아놓고 사회에 복귀할 수 있는 길을 열어두는 것이다. 그러한 활동은 '변호사'라는 직분의 틀에 속한 일이 아니다.

그러나…….

그녀에게 마음을 여는 비행 청소년은 열 명 중에 한 명이 있을까 말까 라고 한다. 나머지 아홉 명은 그녀에게 마음을 열지 않고 다시 사건을 일으켜 체포되거나, 행방을 감춰버리기 일쑤이다. 마음을 다 쏟아도 결실은 적다. 이것이 '소년들의 실상'이다.

사토루도 '나머지 아홉 명'에 끼고 말았다. 심판이 끝난 지 몇 달 지나지 않아, 사토루는 갑자기 머리를 노랗게 물들이고 이전의 불량 친구들과 어울리게 되었다. 애써 취직시켜준 도장회사 기숙사에서도 나가버렸다.

연락이 끊긴 지 두 달여 후. 오히라 씨가 접한 사토루의 소식은 경찰로부터 온 것이었다.

사토루는 결국 소년교도소에 수용되었다.

"열 명 중에 단 한 사람이라도 괜찮아요."

오히라 씨는 단호하게 말했다.

"단 한 사람이라도 좋아요. 지금은 알아듣지 못하더라도 언젠가는 '그때 그 변호사가 말했었지' 하고 기억하고 그때라도 마음을 잡아준다면 하고 바라지요. 나 역시 양부를 만나기 전까지는 어른들이 하는 말을 하나도 받아들이지 않았는걸요."

그녀에게서 그런 말을 들으면서, 무의식중에 이런 생각이 들었다. 오히라 씨는 스스로의 과거를 즐겨 소년들에게 이야기하면서 새 삶을 살게 하려고 유도하는 건 아닐까 하고. 그러나 아니었다. 그녀는 자신의 과거를 '비장의 카드'로 사용하고 있지 않았다.

사토루도 그녀의 과거를 알지 못했다.

"얘기해도 지금은 알아듣지 못해요. 사건을 저지른 아이들은, 자기 처지만이 가장 큰 문제라고 생각해요. '당신이 예전에 문제아였다는 게, 지금 나하고 무슨 상관이야. 지금의 나를 어떻게든 해줘봐' 하는 식이에요. 내가 내 과거를 말하는 건, 소년이 스스로 새 삶을 진심으로 원하면서 사회에 뛰어들었을 때지요. 소년교도소 출신이라고 차별을 받을 가능성도 있고, 순조롭게 새 삶을 이뤄내리라는 보장은 없으니까요. 방황과 고민이 반드시 찾아올 거예요. 그런 때에 내 체험을 들려주고 싶어요."

내가 오히라 씨와 진심으로 마주하게 된 것은, 이 말을 들은 때부터인지도 모른다.

긴 취재 기간 동안, 오히라 씨의 눈물을 단 한 번 보았다. 아버지의 죽음에 대해 얘기할 때였다.

"아버지를 발로 차고 때린 일도 있었어요. 이 발로요. 어떻게 그런 짓을 했는지……."

무겁게 밀려드는 죄악감.

그녀는 변호사가 된 지금도 과거를 참회하는 나날에서 면제받지 못하고 있다. 십 년 정도의 절연 상태를 거쳐 지금은 함께 살고 있는 어머니를 볼 때마다, 그녀는 '나는 엄마에게 끔찍한 고통을 주었다'는, 가슴이 옥죄이는 후회에 빠진다고 말했다.

"새 삶을 손에 넣어도 과거의 상처는 결코, 절대로 지워지지 않아요. 비행으로 내달리는 청소년들에게 꼭 하고 싶은 말은 이거예요. 앞으로 이런 죄책감을 참아내며 살아갈 자신이 과연 있느냐구요."

지워지지 않는 과거의 상처—. 그녀의 등에는 커다란 문신이 있다. 나는 취재 마지막에 그 문신을 촬영하였다. 카메라 앞에 문신을 드러내는 일에 대해 우리는 수없이 얘기를 나누었다. 그녀는 변호사다. 주위의 법조계 관계자들에게서 비판의 소리가 날아오지는 않을까.

그녀는 이 일을 양부 오히라 씨와 상의했다.

오히라 씨는 현재 66세. 그도 따뜻한 가정의 애정을 알지 못하고 자란 불량 소년이었다고 한다. 열 살 때 어머니를 여의고, 아버지와 형제들과 헤어져 혼자 계모의 친정집인 시즈오카 현 하이바라 군의 가난한 농가에 맡겨졌다. 십대 후반부터 빗나가기 시작하여 한때 잘못된 길을 걸었지만, 자신의 힘으로 일으킨 사업이 운좋게 번창하게 된 것을 계기로 새로운 삶을 얻었다. 그 이후로 가정의 혜택을 받지 못하는 수많은 소년들을 회사에 받아들이거나, 자격을 딸 수 있도록 학비를 도와주는 일을 해왔다.

양부는, 오히라 씨에게는 '아버지'이자 '대선배'인 셈이다. 소년들에게 자신의 뜻이 전해지지 않아 안타까울 때면 자신의 고민을 털어놓을 유일한 상대이기도 하다.

그런 양부가 내게 말했다.

"변호사 직함이 그렇게 대단한 겁니까? 미쓰요의 등에 새겨진 문신은, '여기까지 떨어져도 인생은 그야말로 그때부터다, 반드시 다시 시작할 수 있다' 하는 증거올시다. 더도

덜도 말고 꼭 그런 방송을 만들어주세요."

만날 때마다 늘 온화하고 다정하던 분이, 내게 그토록 단호한 얼굴을 보인 것은 그때 단 한 번뿐이었다.

"필요하다면, 촬영하세요."

양부의 옆자리에 앉아 있던 그녀가 말했다.

오 년 전, 사법고시에 합격한 그녀에게 양부가 말했다고 한다.

"문신을 지우는 게 어떠냐?"

변호사라는 직함의 사회적 입장을 생각해서 그렇게 권유했다.

그녀는 그때 고개를 가로 저었다고 한다.

"지금까지의 일들을 전부 지워버리고, 아무 일도 없었던 듯이 시치미를 떼고 사는 건 옳지 않은 것 같아요. 과거에 내가 저지른 일들은 그대로 평생 짐 지고 가야죠. 그걸 등에 진 내가 이 세상에 도움이 될 일은 없을까, 그렇게 생각했어요. 그래서 지우지 않고 있었어요."

오히라 씨 자택에서 한 문신 촬영은 단 몇 분 만에 끝났다. 카메라 앞에서도 그녀는 시종 의연한 태도를 유지했다.

이 책을 읽는 독자들은 어떤 생각을 품을까.

오히라 씨가 걸어온 길은 단순한 '파란만장의 기록'이 아니다. 그녀의 인생이 우리에게 일깨워주는 것은, 스스로 운명을 헤쳐나가는 인간의 가능성이다. 어떤 인생이라도 전환기가 찾아온다. 할 수만 있다면 그냥 흘려보내고만 싶은 괴로운 국면에서, 인간은 얼마만큼 참아내고 또 참아내어 행운을 움켜쥘 용기를 가질 수 있는 것인가.

지금 오히라 씨에게는 교육 관계자들로부터 강연 의뢰가 속속 날아들고 있다.

그녀는 '공부하고 싶어도 책을 사지 못하는 아이들에게 책을 보내달라'며 강연료를 모두 관계 단체에 기부하고 있다. 요즘은 외국인을 변호할 일도 있을 것 같아 회화 공부도 시작했다고 한다. 과거와 마주하면서도 '지금'에 만족하지 않는 그녀의 모습이 여기에 있다.

그녀에게, 꿈이 무엇이냐고 물어본 적이 있다. 잠시 생각하던 그녀가 이런 대답을 들려주었다.

"그런 거창한 것을 제가 어떻게 가집니까. 하루하루를 그저 열심히 살 뿐이지요."

그녀 나이 이제 서른넷.

변호사라는 직함에마저 집착하지 않는 그녀는, 앞으로 어떤 새로운 인생을 열어나가게 될까.

오히라 미쓰요, 그녀의 인생은 언제나 '출발점'인지도 모른다.

덧붙이는 말

　며칠 전에 오히라 씨 앞으로 한 통의 편지가 도착했다. 사
토루에게서 온 것이었다.
　"선생님, 몇 번씩이나 선생님을 배반해서 미안합니다."
　공손한 글씨로 그렇게 써 있었노라고, 그녀는 기쁜 얼굴
로 웃었다.
　오히라 씨가 사토루 군에게 이 책을 직접 건네줄 날을 나
는 고대한다.

나와 내 아이들에게, 그리고 당신과 당신의 아이들에게 이 책을 권한다

번역하는 내내 숨이 멎는 것 같았다. 어떤 대목에서는 고통과 절망으로, 어떤 대목에서는 벅차오르는 희망과 의욕으로.

세상에, 어떻게 이런 인생이 가능하단 말인가?!

좀 비약해서 말한다면, 오히라 미쓰요는 신이 인간을 위해 이 세상에 보낸 전령이다. 쉽게 절망하고, 자기 자신이 얼마나 소중한 존재인가를 잊어버린 채 쉽게 좌절하고, 쉽게 방기해버리는 인간들에게 "이렇게까지 망가져도 다시 시작할 수 있다"는 메시지를 전하기 위해 신이 보낸 전령.

오히라 미쓰요, 그녀는 그 작은 몸으로 정말 엄청난 용기와 희망을 보여주었다.

잔혹하고 끔찍한 왕따, 할복 자살 기도, 아무도 믿을 수 없다는 고통스런 불신감, 마약과 혼숙을 일삼는 폭주족과 어울려다니며 빠져든 비행의 늪, 그리고 야쿠자 세계에의 입문과 호스티스 생활. 그러나 무엇보다도 내게 충격적이었던 것은, 부모에 대한 폭행이었다. 갈 데까지 간 인간의 모습이 아닌가.

오히라 미쓰요는 그곳에서 인생을 다시 시작했다. 중학교를 졸업했다지만, 왕따의 고통과 자살 기도와 비행의 늪에서 삼 년을 보냈으니, 실제 실력은 초등학교를 졸업한 수준에 불과했을 것이다. 게다가 오랜 비행과 폭음으로 망가질 대로 망가진 몸이 아닌가. 그런 그녀가 일본의 명문대 졸업생들도 합격하기 어려운 사법고시에 도전했다는 것은 그 시도만으로도 놀라운 일이 아닐 수 없다. 그런데 합격이라니, 그것도 단 한 번의 응시에!

그 초인적인 노력과 힘은 어디에서 나온 것일까?

그 대답은 이 책 속에 있다.

그 끔찍했던 고통과 좌절의 세월이, 그녀가 다시 인생을 시작하기로 결심한 순간부터 그녀의 힘이 되어주었다. 그녀는 말한다.

"지금이라도 늦지 않습니다. 지금 바로 새로운 인생을 시작하십시오. 앞으로도 수많은 고난이 당신을 기다리고 있을지 모르지만, 당신에게는 그것을 견뎌낼 힘이 있습니다. 지금까지 당신이 당한 그 숱한 힘겨운 일도 있지 않았습니까."

오히라 미쓰요가 전하는 소중한 메시지는 이것이다. 지금 당신이 어디에 서 있든 '바로 그곳이 당신의 출발점'이고, 그동안 '당신이 겪은 숱한 고통과 역경이 당신의 힘'이라는 것이다.

돌아보면, 우리 주위에 오히라 미쓰요가 겪은 왕따의 고통과 자살 기도, 비행의 늪에서 좌절의 세월을 보내는 이들이 얼마나 많은가. 지금 이 순간에도 우리의 학교에서는 왕따가 진행되고 있고, 그로 인한 괴로움으로 나이 어린 학생들이 자살을 기도하고 있으며, 밤거리를 전전하며 비행의 길을 걷고 있는 청소년들이 얼마나 많은가.

이 책에는 그 모든 문제의 실상이 담겨 있으며, 그 원인과 진행 과정이 생생하게 재현되고 있다. 그리고 그 극복의 시작과 결실도 담겨 있다.

부모를 폭행하는 대목과 부모에게 용서를 구하는 대목, 그리고 암에 걸려 돌아가신 아버지의 망해(亡骸) 앞에서 "아빠, 나 이담에 다시 태어나면, 다시 한 번 아빠 딸로 태어나도 돼? 그때는 절대로 아빠를 슬프게 하지도 않을 거고 애태우지도 않을게…… 응?" 하며 눈물을 흘리는 대목에서, 나는 인간이 지닌 재생의 가능성과 힘을 보았다.

이 책을 나와 내 아이들에게, 그리고 당신과 당신의 아이들에게 권하고 싶다.

인간성 자체를 부정당한 사람은 그 상처를 타인들에게 돌려주기 마련이다. 그리고 그 타인이란 다름아닌 같은 시대를 사는 우리와 우리 아이들이다. 아주 이기적으로 말하더라도, 결코 나와 무관한 문제가 아닌 것이다.

그리고 생의 가장 깊은 나락으로부터 털고 일어선 극복의 과정은, 이 책을 읽는 독자들의 가슴에 폭발할 듯한 힘과 의욕을 심어주기에 충분하다. 한자의 획수도 셀 줄 모르고 영어의 관계대명사도 모르는 실력으로 시작해서 사법고시에 합격하기까지 펼쳐지는 각고의 노력은, 몇 번이고 다시 읽으며 생의 활력으로 삼고 싶은 대목들이다. 이 노력 앞에서는, "난 안 돼" "난 기초가 부족해서……" "해봤자 소용없어" 따위의 심정들이 사라지고, "그래, 나도 해보자" "나도 할 수 있어" 하는 의욕이 솟구치는 것이다.

오히라 미쓰요, 그녀는 지금 외국인을 변호해야 할 일에 대비해서 외국어 회화 공부를 하고 있다고 한다. 그녀는 오래 살지 못할 거라고 한다. 호스티스 시절의 폭음 때문에 간장이 나쁘고, 야쿠자 시절 새긴 문신 때문에 피부 호흡에 장애가 있기 때문이다. 하지만 그녀는 인생에 충실하다. 거기가 어디든 출발점에 선 자세로 노력하는 것이다. 오히라 미쓰요, 그녀에게 찬사와 격려의 박수를 보낸다. 그리고 독자

262

여러분, 또한 나 자신에게도 그녀의 말을 빌려 이런 외침을
보내고 싶다.
 "포기하면 안 돼!"

2000년 6월
양윤옥

양윤옥

1957년생. 일본문학 전문 번역가.
『슬픈 李箱』『그리운 여성 모습』『글로 만나는 아이 세상』 등의 책을 썼으며,
『지구를 부수지 않고 사는 방법』『쓰레기로부터 지구를 생각한다』
『미꼬와 마꼬』『하늘을 훨훨 나는 물고기』『가면의 고백』『일식』『달』『철도원』 등을
우리말로 옮겼다.

그러니까 당신도 살아

1판 1쇄	2000년 7월 10일
1판 10쇄	2001년 5월 4일

지 은 이	오히라 미쓰요
옮 긴 이	양윤옥
펴 낸 이	김정순
펴 낸 곳	(주)북하우스
출판등록	1997년 9월 23일 제1-2228호

주 소	110-795 서울시 종로구 운니동 98-78 가든타워빌딩 802호
전자메일	editor@bookhouse.co.kr
홈페이지	www.bookhouse.co.kr
전화번호	741-4145~7
팩 스	741-4149

ISBN 89-87871-43-6 03830
* 잘못된 책은 바꿔드립니다.